걸프 사태

주변국 지원 1

정부조사단

걸프 사태

주변국 지원 1

정부조사단

| 머리말

  걸프 전쟁은 미국의 주도하에 34개국 연합군 병력이 수행한 전쟁으로, 1990년 8월 이라크의 쿠웨이트 침공 및 합병에 반대하며 발발했다. 미국은 초기부터 파병 외교에 나섰고, 1990년 9월 서울 등에 고위 관리를 파견하며 한국의 동참을 요청했다. 88올림픽 이후 동구권 국교 수립과 유엔 가입 추진 등 적극적인 외교 활동을 펼치는 당시 한국에 있어 이는 미국과 국제사회의 지지를 얻기 위해서라도 피할 수 없는 일이었다. 결국 정부는 91년 1월부터 약 3개월에 걸쳐 국군의료지원단과 공군수송단을 사우디아라비아 및 아랍 에미리트 연합 등에 파병하였고, 군·민간 의료 활동, 병력 수송 임무를 수행했다. 동시에 당시 걸프 지역 8개국에 살던 5천여 명의 교민에게 방독면 등 물자를 제공하고, 특별기 파견 등으로 비상시 대피할 수 있도록 지원했다. 비록 전쟁 부담금과 유가 상승 등 어려움도 있었지만, 걸프전 파병과 군사 외교를 통해 한국은 유엔 가입에 박차를 가할 수 있었고 미국 등 선진 우방국, 아랍권 국가 등과 밀접한 외교 관계를 유지하며 여러 국익을 창출할 수 있었다.

  본 총서는 외교부에서 작성하여 30여 년간 유지한 걸프 사태 관련 자료를 담고 있다. 미국을 비롯한 여러 국가와의 군사 외교 과정, 일일 보고 자료와 기타 정부의 대응 및 조치, 재외동포 철수와 보호, 의료지원단과 수송단 파견 및 지원 과정, 유엔을 포함해 세계 각국에서 수집한 관련 동향 자료, 주변국 지원과 전후복구사업 참여 등 총 48권으로 구성되었다. 전체 분량은 약 2만 4천여 쪽에 이른다.

2024년 3월
한국학술정보(주)

| 일러두기

· 본 총서에 실린 자료는 2022년 4월과 2023년 4월에 각각 공개한 외교문서 4,827권, 76만 여 쪽 가운데 일부를 발췌한 것이다.

· 각 권의 제목과 순서는 공개된 원본을 최대한 반영하였으나, 주제에 따라 일부는 적절히 변경하였다.

· 원본 자료는 A4 판형에 맞게 축소하거나 원본 비율을 유지한 채 A4 페이지 안에 삽입 하였다. 또한 현재 시점에선 공개되지 않아 '공란'이란 표기만 있는 페이지 역시 그대로 실었다.

· 외교부가 공개한 문서 각 권의 첫 페이지에는 '정리 보존 문서 목록'이란 이름으로 기록물 종류, 일자, 명칭, 간단한 내용 등의 정보가 수록되어 있으며, 이를 기준으로 0001번부터 번호가 매겨져 있다. 이는 삭제하지 않고 총서에 그대로 수록하였다.

· 보고서 내용에 관한 더 자세한 정보가 필요하다면, 외교부가 온라인상에 제공하는 『대한 민국 외교사료요약집』 1991년과 1992년 자료를 참조할 수 있다.

| 차례

정 리 보 존 문 서 목 록

기록물종류	일반공문서철	등록번호	2020110074	등록일자	2020-11-18
분류번호	721.1	국가코드	XF	보존기간	영구
명 칭	걸프사태: 주변국 지원, 1990-92. 전12권				
생 산 과	중동2과/북미1과	생산년도	1990~1992	담당그룹	
권 차 명	V.1 정부조사단 중동 및 터키 순방, 1990.10.27-11.8: 기본문서				
내용목차	* 단장: 유종하 외무차관 * 일정: 10.28-31 이집트 10.31-11.2 요르단 11.2-5 시리아 11.5-6 터키 * 페르시아만 사태 관련 다국적 파견국 및 주변 피해국 지원 문제 협의 및 이집트,시리아와의 수교 추진				

0001

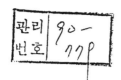

페만事態 關聯國 支援調査團 派遣計劃(案)

장관님 반려 10/24

1 訪問國 및 期間

가) 期 間 : 90.10.27 - 11.6. (10박11일)

나) 訪問國

　ㅇ 터키

　ㅇ 요르단

　ㅇ 이집트

　ㅇ 시리아

2. 代表團 構成

　ㅇ 首席代表 : 柳宗夏 外務部次官

　ㅇ 代　表 : 外務部

　　　　　　經濟企劃院

　　　　　　財務部

　　　　　　商工部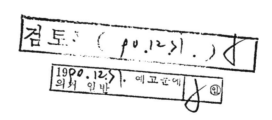

　　　　　　靑瓦臺

0002

3. 巡訪目的

○ 各國에 대한 支援 公式通報 및 具體的 支援計劃 協議

○ 誠意있는 支援誇示 및 獨自的 對中東 外交展開

○ 금번 機會에 이집트, 시리아와의 修交推進

4. 支援內容

單位：萬弗

	軍需物資	EDCF	生必品	合計
이집트	700	1,500	~~1,000~~ 800	3,000
터 키		1,500	500	2,000
요르단		1,000	~~200~~ 500	1,500
시리아	600	~~400~~	400	1,000

5. 詳細 航空日程 (別添)

예고 : 90. 12. 31 일반

발 신 전 보

번   호 : WJO-0403   901024 1653 FC   종별 : 긴급

수   신 : 주   요르단   대사. 총영사

발   신 : 장   관 (마그)

제   목 : 페만사태관련 지원 조사단 파견

1. 페만사태관련 귀주재국 지원문제를 협의키위해 아래와같이 정부파견단이 귀지 방문예정인바 관계인사면담등 필요한 조치를 취하고 결과 조속보고바람.

　가) 대표단 : 외무차관외 외무부, 경기원, 재무부, 상공부, 청와대 관계관

　나) 항공일정 : 10.27(토) 서울출발   *10.30.~11.1.경 귀지방문예정이며 상세일정추후통보될 예정임*

　　~~10.30(목) 19:05 암만도착 (MS 8I4)~~

　　~~11.3(토) 22:50 다마스커스 출발 (AF 145)~~ *이착오로 없는것임*

2. 귀주재국에 대한 지원계획안은 아래와 같은바 적절한 품목등 주재국측 희망사항 사전조사바람. *(계획내용은 대표단이 공식통보예정임)*

　가) EDCF 자금 : 1,000 만불

　나) 생필품지원 : 500 만불

　　　　검토필(1990.7.31.)

3. 대표단은 ~~아래인정으로~~ *11.3(토) 13:50 1182편* 시리아도 방문, 지원문제 및 수교문제를 협의코자 하는바 적절한 경로를 통해 시리아측에 연락하고 면담인사주선, 공항영접, 숙소 예약, 입국비자 공항취득허가등 필요한 조치를 취하도록 결과보고바람.

4. 상기 시리아방문 준비를 위해 귀관직원 1명 시리아 사전입국 필요성 여부 보고바람.

　　| 1990.12.31 | 예고판에 |
　　| 의거 | 일반 |

5. 대표단 명단등 상세사항 추후 통보예정인바 입국비자는 귀지 공항에서 취득할수 있도록 사전조치바람. 끝.

(차관 유종하 -- 대사)

보 안	통 제

앙고재	90년 10월 24일	예고안 성안자 명	일반 90.12.31	과장	국장	차관	장관	외신과통제
	마그과					전결		

0004

분류번호	보존기간

발 신 전 보

번   호 : ___WCA-0427___   901024 1652   FC   종별 : 긴급

수   신 : 주   카이로   대자. 홍맹사

발   신 : 장   관   (마그)

제   목 : 페만사태관련 지원 조사단 파견

1. 페만사태관련 지원문제를 협의키위해 아래와같이 정부대표단이 귀지 지원문제 및 양국관계를 책임있게 협의하는수있는 고위
방문예정인바 관계인사면담등 필요한 조치를 취하고 결과 조속보고바랍.

가) 대표단 : 외무차관외 외무부, 경기원, 재무부, 상공부, 청와대 관계관

나) 항공일정 : 10.27(토) 서울출발 (터키향발) 10.28. ~ 10.30. 키지방냄 예정이여
상세일정 주후통보 예정임.
10.   (월)   12:30   카이로 도착   여(정임)
10.30(화)   17:30   암만향발   (도-014 예정)
상세일정 추후통보 예정   이규모를 염두에 두고

2. 귀주재국에 대한 지원계획안은 아래와 같은바 적절한 품목등 주재국측
희망사항등 사전조사바랍. (계획내역은 대표단이 공식 통보예정임)

가) 군수품지원 : 700 만불

나) EDCF 자금 : 1,500 만불

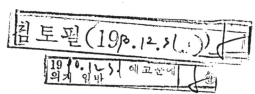

나) 생필품지원 : 800 만불

3. 아울러 금번기회에 양국수교문제도 진지하게 협의하여 가까운 시기에
타결코자하는 아측 희망사항도 강력히 전달하고 외무차관 방문시 실질적인
협의가 될수있도록 최선을 다하기 바랍.   /계속..../

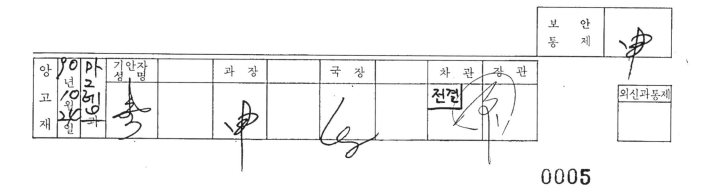

보 안 통 제	

앙 고 재	90년 10월 26일 마2령 	기안자 성명		과 장		국 장		차 관	장 관		외신과통제
								전결			

0005

4. 대표단은11.1-11.3간 시리아도 방문, 지원문제 및 수교문제를 협의
코자함을 귀지주재 시리아 대사에게 알리기바라며, 동 방문준비사항은 주요르단
대사관을 통해 협의토록 지시했으나 귀지 시리아대사도 본국정부에 연락하여
가능한 편의제공과 실질적인 수교무제 협의가 될수있도록 협조를 당부바람.

5. 대표단 명단등 상세사항 추후통보 예정인바 입국비자는 귀지공항에서
취득할수있도록 사전조치바람.   끝.

예고 : 90.12.31. 일반

발 신 전 보

분류번호	보존기간

번　호 : WCA-0429　901024 2206　종별 : 암호송신　지급

수　신 : 주　카이로　ᐧᐧᐧ대사ᐧᐧᐧ. 총영사

발　신 : 장　관　　　(마그레브과장)

제　목 : 업　연

　　　1. 대표단 귀지방문 잠정일정 아래와 같으니 우선 참고하면서 염두에 두고
필요 조치바람.
　　　　10.28(일)　05:20　카이로도착(MS 865)
　　　　10.30(화)　10:30　다마스커스 향발 (RB 202)

　　　2 대표단 구성은 차관, 국장급 2명, 과장급 3명, 사무관급 2명으로
예상되니 호텔예약시등 참고바람.　끝.

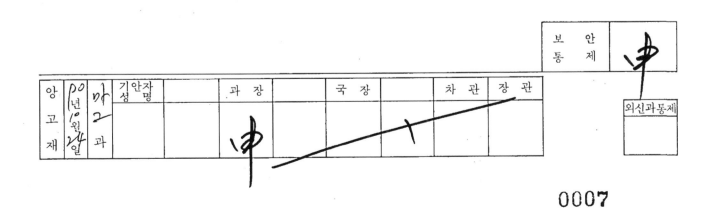

0007

발 신 전 보

	분류번호	보존기간

번   호 : WJO-0405　901024 2205 DN 종별 : 암호송신　**지급**

수   신 : 주　요르단　대사 . 총영사

발   신 : 장　관　　　（마그레브과장）

제   목 : 업　연

　　　1. 대표단 시리아 및 귀지방문 잠정일정 아래와 같으니 우선 참고하면서 염두에 두고
필요한 조치바람.

　　　　10.30(화)　12:30　다마스코스 도착(RB 202)

　　　　11. 1(목)　19:15　암만 향발 (TK 808)

　　　　　　　　　20:15　암만 도착

　　　　11. 4(일)　09:25　로마 향발(AZ 761)

　　　2 대표단 구성은 차관, 국장급 2명, 과장급 3명, 사무관급 2명으로
예상되니 호텔예약시등 참고바람.　끝.

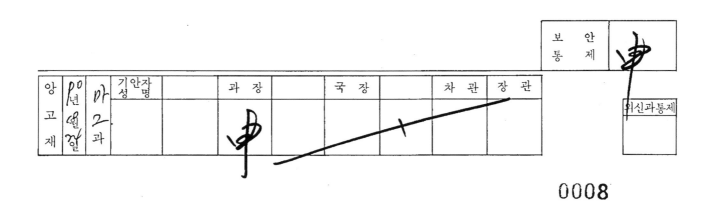

0008

외 무 부

종   별 :

번   호 : CAW-0731   일   시 : 90 1024 1640

수   신 : 장관(마그)

발   신 : 주 카이로 총영사

제   목 : 페만사태 관련 지원 조사단

대:WCA-0427

1. 본직은 금 90.10.24(수)하오 주재국 외무부 아주국장인 MEKKI 대사를 방문, 대호 대표단 방문을 통보하고 동대표단을 위해 MEGUID 외무장관및 GHALI 외무담당 국무장관등 관계인사와의 면담을 요청하고 또한 MUBARAK 대통령, SIDKI 총리 및 AL-BAZ 정치(외교)담당 대통령 특보 예방주선을 요청했음.

2. 동국장은 동대표단의 방문에 환영의 뜻을 표하고 상기요청을 상부에 보고하고 관계인사의 면담 및 예방을 적극 주선하겠다고 약속했음.

3. 본직은 또한 당지 주재 시리아대사를 접촉, 동대표단의 시리아 방문계획을 통보, 이를 본국정부에 보고하여 정부관계 인사의 면담주선등 협조를 요청했음.

4. 본건 추진상황 추보위계임.끝.

(총영사 박동순-차관)

예고:90.12.31. 일반

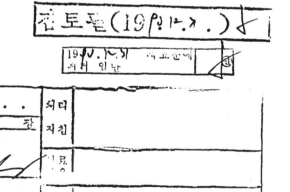

중동·아프리카국			163 . . .	처리 지침	
공 람	담당	과장	심의관	국장	
주무	중근동				
사본					

기 안 용 지

분류번호 문서번호	마그20005-	(전화:)	시 행 상 특별취급	
보존기간	영구·준영구 10. 5. 3. 1.	차 관	장 관	
수 신 처 보존기간				
시행일자	1990.10.25.			

보조기관	국 장		협조기관	제1차관보 미주국장 경제국장	문 서 통 제
	심의관				
	과 장				
기안책임자	이 종 섭				발 송 인

경 유 수 신 참 조	건 의	발 신 명 의	

제 목	페르샤만 사태관련 조사단파견

이라크의 쿠웨이트 침공으로 인한 페르샤만 사태관련 다국적군

파견국 및 주변피해국 지원문제 협의와 이집트, 시리아와의 수교를

추진키위해 아래와같이 외무차관을 단장으로하는 조사단을 현지에 파견할

것을 건의하오니 재가하여 주시기 바랍니다.

- 아   래 -

1. 조사단구성

   ㅇ 단장 : 유종하 외무부차관   / 계속.../

0010

전병현 외무부본부대사

○ 단원 : 이정보 재무부 경제협력국장

황두연 상공부 상역국장

이민제 대령 (청와대 외교안보)

이철수 경기원 예산제1심의관

██████████████

신국호 외무부 마그레브과장

신각수 외무부 서기관(차관보좌관)

정용칠 외무부 경제협력2과 사무관

~~김은석 외무부 마그레브과 사무관~~

2. 방문국 및 기간

전병현대사

가) 차관, 신국호과장, 신각수 보좌관

○ 기간 : 10.27.- 11.10. (14박 15일)

○ 방문국 : 이집트, 시리아, 요르단, 터키, 이태리

나) 기타단원   검토필 (1.90. ~ 3/.)

○ 기간 : 10.27. - 11.8. (12박13일)

○ 방문국 : 이집트, 시리아, 요르단, 터키   끝.

예고 : 90. 12. 31 일반.

0011

페만사태 관련 조사단, 중립국 및 미수교국 관계개선 사절단

가. 조사단 구성

　　○ 단　　장 : 유종하 외무부 차관
　　○ 단　　원 : 이정보 재무부 경제협력국장
　　　　　　　　황두연 상공부 상역국장
　　　　　　　　이민제 대령 (청와대 외교안보)
　　　　　　　　이철수 경기원 예산 제1심의관
　　　　　　　　████████████████
　　　　　　　　신국호 외무부 마그레브과장
　　　　　　　　신각수 외무부 서기관 (차관 보좌관)
　　　　　　　　정용칠 외무부 경협2과 사무관

나. 방문국 및 기간

　　○ 차관, 신각수 보좌관
　　　- 기　간 : 10.27 - 11.8 (12박 13일)
　　　- 방문국 : 이집트, 시리아, 요르단, 이태리
　　○ 기타단원
　　　- 기　간 : 10.27 - 11.8 (12박 13일)
　　　- 방문국 : 이집트, 시리아, 요르단, 터키

다. 소요예산 : 총 $100,364　W4,200,000

　　○ 항공임 총액 : $33,858
　　○ 체재비 총액 : $15,506
　　○ 특별활동비 : $51,000
　　○ 선　물　비 : W4,200,000

라. 예산항목

　　○ ~~대외무상원조~~, 해외경상이전.　　끝.
　　　정무관동

一般豫算檢討意見書

1990 · 10 · 25.　　라2레브　　課

事　業　名	"페"만 사태관리 로사단 파견		
支　辨　科　目	細　項	目	金　額
	7111	341	$100,364.00 ₩4,200,000~

檢　　討　　意　　見	
主　務	대리무상원로, 혀이경상이라 이서 우선 집행하고 추경 확보시 여입르치 로망
擔　當　官	"
調　整　官	"

걸프사태 : 주변국 지원, 1990-92. 전12권 (V.1 정부조사단 중동 및 터키 순방, 1990.10.27-11.8: 기본문서)　19

분류기호 문서번호	마그 20005-	기 안 용 지 (720-3870)		시 행 상 특 별 취 급	
보존기간	영구.준영구 10. 5. 3. 1	차 관	장 관		
수 신 처 보존기간		전결			
시 행 일 자	1990. 10. 25.				
보조 기 관	국 장	협 조 기 관	관리국장 미주국장 기획관리실장 경제국과운영 경종기획담당관	문 서 통 제	
	심의관				
	과 장				
기안책임자	이 종 섭			발 송 인	
경 유		발신명의			
수 신	건 의				
참 조					
제 목	페르샤만 사태관련 조사단 파견 경비지원				

1. 이라크의 쿠웨이트 침공으로 인한 페르샤만 사태관련

다국적군 파견국 및 주변피해국 지원문제 협의와 이집트, 시리아와의

수교를 추진키위해 아래와같이 외무차관을 단장으로하는 조사단을

현지에 파견할 것과 이에 필요한 경비지급을 건의하오니 재가하여

주시기 바랍니다.

2. 이에 소요되는 경비는 대외무상원조(7111), 해외경상이전

(341) 목에서 우선 집행하고 예산 확보시 여입 조치하겠습니다.

/ 계속 . . . .

0014

- 아 래 -
가. 조사단 구성
○ 단 장 : 유종하 외무부 차관
○ 단 원 : 이정보 재무부 경제협력국장
황두연 상공부 상역국장
이민제 대령 (청와대 외교안보)
이철수 경기원 예산제1심의관
███████████████
신국호 외무부 마그레브과장
신각수 외무부 서기관 (차관보좌관)
정용칠 외무부 경협2과 사무관
나. 방문국 및 기간
○ 차관, 신각수 보좌관
- 기 간 : 10.27-11.8 (12박 13일)
- 방문국 : 이집트, 시리아, 요르단, 이태리
○ 기타단원
- 기 간 : 10.27-11.8 (12박 13일)
- 방문국 : 이집트, 시리아, 요르단, 터키
/ 계 속 ....

0015

다. 소요예산 : 총 $ 100,364   W 4,200,000

    o 항공임 총액 : $ 33,858

    o 체재비 총액 : $ 15,506

    o 특별활동비 : $ 51,000

    o 선 물 비 : W 4,200,000

라. 예산항목

    o 대외무상원조, 해외경상이전.   끝.

예 고 : 90.12.31. 일반

0016

분류기호 문서번호	마그20005- *120* ( )	협조문용지	결 재	담 당	과 장	국 장
시행일자	1990.10.25.					(서명)
수　신	영사교민국장	발신		중동아프리카국장		
제　목	페만사태 조사단 여권발급 및 출국신고 협조의뢰					

10.27-11.8.간 페만사태 정부조사단 파견과 관련 아래인사에

대한 여권발급 및 출국신고 조치를 의뢰하오니 협조하여 주시기

바랍니다.

- 아　　　　　래 -

단　장 : 유종하 외무차관

천 병 현 외무부 대사
단　원 : 이정보 재무부 경제협력국장

황두연 상공부 상역국장

이민제 청와대 외교안보 비서관 (여권발급요)

이철수 경기원 예산제1심의관

███████████████████████

신국호 외무부 마그레브과장

신각수 외무부 차관 보좌관

정용칠 외무부 경협2과 사무관

~~김은석 외무부 마크레브과 사무관~~.　끝.　0017

	분류번호	보존기간

발 신 전 보

번   호 : WJO-0407   901025 2303 DY   종별 : 긴급

수   신 : 주   요르단   대사 · 통영자

발   신 : 장   관   (마그)

제   목 : 조사단 파견

연 : WJO-0403

1. 연호 조사단 명단, 여권번호등 필요사항 아래타전하니 입국비자취득,

호텔예약등에 참고바탑.

- 유중하 차관 (▓▓▓▓생) YOO, Chong - Ha

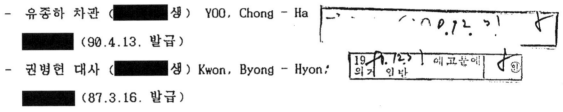

    ▓▓▓▓ (90.4.13. 발급)

- 권병현 대사 (▓▓▓생) Kwon, Byong - Hyon;

    ▓▓▓▓ (87.3.16. 발급)

- 이정보 재무부 경제협력 국장 (▓▓▓생) LEE, Jung - Bo

    ▓▓▓▓ (89.5.24. 발급)

- 황두연 상공부 상역국장 (▓▓▓.생)

    HWANG, Doo - Yun, ▓▓▓▓ (89.7.10. 발급)

- 이민재 청와대 외교안보비서관 (추후통보)

- 이철수 경기원 예산제1심의관 (▓▓▓생) Lee, Chol - Soo,

    ▓▓▓▓ (90.3.24.발급)   /계속.../

	보 안 통 제	申

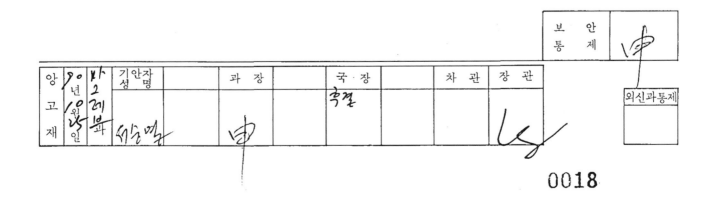

앙고재	90년 10월 25일	12 레 과	기안자 성명	과 장	국 장	차 관	장 관	외신과통제
				申	촉결			

0018

- 신국호 외무부 마그레브과장 (███생) Shin, Kook - Ho,
  ██████ (88.12.6. 발급)
- 정용칠 외무부 경협2과 사무관 (██████생) Chung, Yong - Chil
  ████ (86.9.22. 발급)
- 신각수 외무부 차관보좌관 (██████생) Shin, Kak - Soo,
  ████ (90.10.25. 발급)

2. 귀지 및 시리아 착발일정은 아래와 같음.

    가) 전단원

        10.30 (화) 12:30 다마스커스 도착 (RB 202)

        11. 1 (목) 14:30 암만 향발(TK 822)

                  15:15 암만 도착

    나) 차관, 권대사, 신과장, 신보좌관

        11.4 (일) 10:55 카이로 향발 (MS 817)

    다) 기타 단원들

        11.4 (일) 11:45 이스탄불 향발(RJ 165)

    라) 상기 항공일정 귀지에서 필히 재확인후 이상유무 보고바람.

3. 귀지에서 업무일정 및 시리아 방문관계 조치결과 조속 보고바라며
귀관직원 1명 시리아 사전파견코자하니 대상직원, 항공료등 보고바람. 끝.

                          (중동아국장 이 두 복)

예고 : 90.12.31.일반

분류번호	보존기간

발 신 전 보

번   호 : WCA-0431   901025 2303 DY 종별: **긴급**

수   신 : 주   카이로   대사. ~~통영자~~

발   신 : 장   관   (마그)

제   목 : 조사단 파견

연 : WCA-0403

1. 연호 조사단 명단, 여권번호등 필요사항 아래타전하니 입국비자취득,
호텔예약등에 참고바랍.

　　　- 유중하 차관 (■■■■.생) YOO, Chong - Ha
　　　　　■■■■ (90.4.13. 발급)

　　　- 권병현 대사 (■■■■.생) Kwon, Byong - Hyon,
　　　　　■■■■ (87.3.16. 발급)

　　　- 이정보 재무부 경제협력 국장 (■■■■.생) LEE, Jung - Bo
　　　　　■■■■ (89.5.24. 발급)

　　　- 황두연 상공부 상역국장 (■■■■.생)
　　　　HWANG, Doo - Yun, ■■■■ (89.7.10. 발급)

　　　- 이민재 청와대 외교안보비서관 (추후통보)

　　　- 이철수 경기원 예산제1심의관 (■■■■■생) Lee, Chol - Soo,
　　　　　■■■■ (90.3.24.발급)　　　　　/계속.../

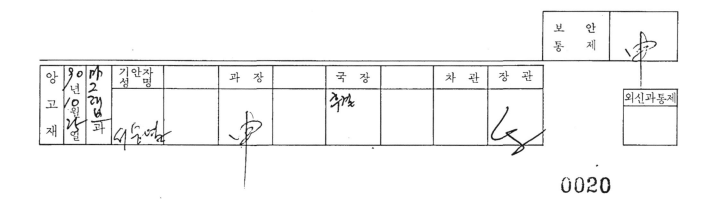

- 신국호 외무부 마그레브과장 (███.생) Shin, Kook - Ho,
  ███ (88.12.6. 발급)
- 정용칠 외무부 경협2과 사무관 (███생) Chung, Yong - Chil
  ███ (86.9.22. 발급)
- 신각수 외무부 차관보좌관 (███생) Shin, Kak - Soo,
  ███ (90.10.25. 발급)

2. 착발, 항공일정 아래와같은바 귀지에서 필히 재확인후 이상유무
보고바랍 (특히 3항 경유일정 포함)

    10.28 (일) 05:20 카이로 도착 (MS 865)

    10. 3 (화) 10:30 다마스커스 향발(RB 202)

3. 차관, 권대사, 신과장, 신보좌관은 시리아, 요르단 방문후 이태리로
향발하기위해 아래와 같이 귀지 경유함.

    11.4 (일) 12:30 카이로 향발 (MS 817)

    11.4 (일) 14:00 로마 향발 (MS 791)

(중동아국장 이 두 복)

예고 : 90.12.31.일반

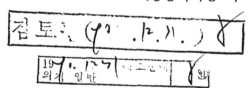

0021

외 무 부

종 별 : 지급

번 호 : JOW-0539

일 시 : 90 1025 1800

수 신 : 장 관(마그,기정)

발 신 : 주 요르단 대사

제 목 : 시리아 방문

대:WJO-0403,405

1. 시리아 정부인사 면담주선등 대표단의 시리아 방문준비를 위해 김균참사관이 10.28. 경 사전입국함이 필요할것으로 사료됨. 당관의 접촉선인 시리아 외무성 SALLOUM 경제 국장은 주 영 대사관으로 전근됨

2. 암만-다마스커스 왕복항공료는 $136.84(JD 91.-) 임

(대사 박태진-국장)

예고:90.12.31 일반

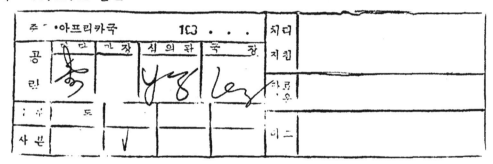

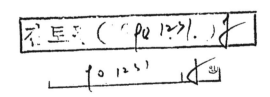

중아국   안기부

90.10.26   05:13
외신 2과   통제관 CE

0022

담당조정관	실 장	재가문서요약전	수석비서관	실 장
국 무 총 리 실			대 통 령 비 서 실	

페르샤만 사태관련 외무차관 중동순방

가. 출 장 자 : 유종하 외무차관

나. 출장목적

    o 페르샤만 사태관련 지원문제 협의를 위한
      조사단 인솔

    o 이집트, 시리아와의 수교추진

다. 출장기간 : 1990.10.27.(토) - 11.10.(토)

라. 방 문 국 : 이집트, 시리아, 요르단, 터키, 이태리

0023

분류기호 문서번호	관리번호 90-782	(전화번호 :)	대 통 령
처리기한		외무장관	국무총리	
시행일자	1990.10.25.		전결	
보존기간				

협조기관			

| 수 신 | 건   의 | 발신 | | 통제 | |

| 제 목 | 페르샤만 사태관련 외무차관 중동 순방 |

이라크의 쿠웨이트 침공으로 인한 페르샤만 사태관련

다국적군 및 주변피해국 지원문제 협의를 위해 현지를 방문하는

관계부처 조사단의 단장 임무수행 및 이집트, 시리아와의 수교

교섭을 위해 외무부 차관을 아래 지역에 파견코자 하오니 재가

하여 주시기 바랍니다.

- 아   래 -

가. 출 장 자 : 유종하 외무부 차관

나. 조사단 구성 : 외무부, 경제기획원, 재무부, 상공부,

청와대 관계관으로 구성 (총 8명)   0024

정서

관인

발송

1205-27 (2-1) A(1)
1982. 7. 30. 승인

190mm×268mm인쇄용지특급70g/m²
(조 달 청 20,000매 인 쇄)

0025

다. 출장 목적

  ㅇ 페르샤만 사태관련 지원문제 협의

  ㅇ 이집트, 시리아와의 수교 추진

  ㅇ 성의있는 지원과시 및 독자적인 대중동외교 전개

라. 출장기간 : 1990.10.27.(토) - 11.10.(토)

마. 방문국

  ㅇ 이 집 트

  ㅇ 시 리 아

  ㅇ 요 르 단

  ㅇ 터   키

  ㅇ 이 태 리 (페르샤만 사태관련 제 3차 지원국 회의참석)

비고: 90.12.31 완료

0026

1205-27 (2-2) A(1)
1982. 7. 30. 승인

190mm×268mm인쇄용지특급70g/㎡

경 제 기 획 원

봉조일 10520- *69*   (503-9144)   1990. 10. 26.

수신   외무부장관

제목   폐만사태관련 현지조사단 파견요원 선정 통보

     폐만사태관련 현지조사단에 포함될 당원 조사요원이 아래와 같이
선정 되었기에 통보하니 필요한 조치를 취하여 주시기 바랍니다.

            - 아   래-

    1. 성 명 : 이 철 수

    2. 직 급 : 이 사 관

    3. 직 책 : 경제기획원 예산실 예산심의관(Ⅰ)

경 제 기 획 원 장

0027

보 도 자 료

1990. 10. 26.

제 목 : 걸프만 사태관련 지원 조사단 중동순방

1. 정부는 현 걸프만 사태와 관련 다국적군 파견국 및 주변 피해국에 대한 지원 문제를 관련국과 협의하기 위한 정부 관계부처 조사단을 유종하 외무차관을 단장으로 10.27.-11.8.간 중동지역에 파견함.

2. 정부는 ~~국제사회에서 무력에 의한 불법적인 침략 행위가 용안되어서는 않된다는 입장과 아국의 신장된 국위에 부응하여~~ 국제평화 유지 노력에 일익을 담당해야 한다는 판단하에 지난 9.24. 다국적군 경비 분담과 피해국에 대한 경제적 지원 결정을 발표한 바 있음.

3. 정부는 이에 따라 그간 수차 관계부처 회의를 한 결과, 관계국과 지원 문제회 구체적인 협의 위해 조사단 파견을 결정하였음. 아울러 11.5. 로마에서 개최되는 ~~재정~~제3차 지원국 그룹조정 회의에도 외무차관이 참석할 예정임.

~~4. 총 원유수~~입의 75%를 중동으로부터 도입하는 우리나라로서는 중동 산태의 조속한 해결을 통한 원유의 자유로운 수급 질서 회복과 평화의 장착을 바라고 있음.

<table>
<tr><td rowspan="3">앙 고 재</td><td rowspan="3">마고 보 과</td><td>90년 10월 26일</td><td>담 당</td><td>과 장</td><td>심의관</td><td>국 장</td></tr>
<tr><td></td><td></td><td></td><td></td><td></td></tr>
<tr><td></td><td></td><td>申</td><td></td><td></td></tr>
</table>

0028

보 도 자 료
외 무 부

90.10.26.

제 목 : 걸프만 사태관련 지원 조사단 중동순방

1. 정부는 현 걸프만 사태와 관련 다국적군 파견국 및 주변피해국에 대한
   지원문제를 관련국과 협의하기 위해 정부 관계부처 조사단을 유종하
   외무차관을 단장으로 10.27-11.8간 중동지역에 파견함.

2. 정부는 국제평화 유지 노력에 일익을 담당해야 한다는 판단하에 지난
   9.24. 다국적군 경비 분담과 피해국에 대한 경제적 지원결정을 발표한
   바 있음.

3. 정부는 이에따라 그간 수차 관계부처 회의를 한 결과, 관계국과 지원
   문제의 구체적인 협의를 위해 조사단 파견을 결정하였음.

4. 아울러 11.5. 로마에서 개최되는 제3차 지원국 그룹조정 회의에도 외무
   차관이 참석할 예정임.

0029

분류번호	보존기간

발 신 전 보

번 호 : WTU-0450   901026 0954 AO   종별 : 긴급

수 신 : 주   터키   (내신,중앙사)

발 신 : 장 관   (마그)

제 목 : 페만사태 관련 지원조사단 파견

1. 페만사태관련 귀주재국 지원문제를 협의키위해 외무차관을 단장으로
하는 관계부처 조사단이 귀지 방문예정인바 필요한 조치를 취하기 바라며
입국비자는 시간관계상 공항에서 취득할수 있도록 사전조치바람.

2. 조사단중 아래 선발대가 먼저 귀지방문하니 관계인사와 지원문제를
협의할수있도록 조치바람.

ㅇ 항공일정

11. 4.(일) 14:00 이스탄불 도착(RJ 165)

18:00 앙카라 향발(TK 146)

19:05 앙카라 도착

11. 7(수) 07:00 파리 향발 (AF 1377)

ㅇ 선발대명단, 여권번호

- 이정보 재무부 경제협력국장(████생) LEE, Jung - Bo,

████ (89.5.24.발급)

- 황두연 상공부 상역국장 (████생)

HWANG, Doo - Yun, ████ (87.4.7. 발급)

- 이민재 청와대 외교안보비서관 (추후통보)   /계속.../

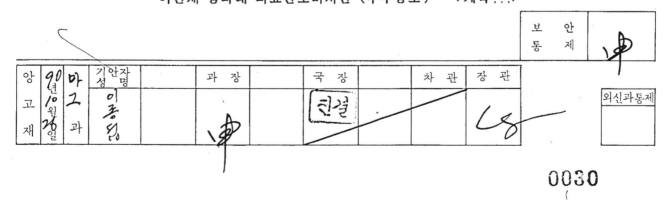

보 안 통 제	

앙고재	90년 10월 26일	마그과	기안자성명 이종영		과 장		국 장 진설		차 관	장 관	

외신과통제

0030

- 이철수 경기원 예산제1심의관 (■■■생) Lee, Chol - Soo,

    ■■■■ (90.3.24.발급)

■■■■■■■■■■■■■■■■■■■■■■■■■■■■■

- 정용칠 경협2과 사무관 (■■■생) Chung, Yong - Chil,

    ■■■ (86.9.22. 발급)

    3. 외무차관 일행은 아래일정으로 귀지 방문하니 상기 선발대가 협의한 결과를 재확인 하거나 추가사항 재협의할수 있도록만 조치바람.

    가) 항공일정

        11. 6(화) 13:15 이스탄불 도착(AZ 700)

        11. 7(수) 10:00 앙카라 향발 (TK 116)

                   11:05 앙카라 도착

        11. 8(목) 10:00 이스탄불 향발 (TK 117)

                   11:05 이스탄불 도착

                   14:25 파리 향발 (AF 1375)

    나) 명단, 여권번호

- 유중하 차관 (■■■■.생) YOO, Chong - Ha

    ■■■■ (90.4.13. 발급)

- 권병현 대사 (■■■■생) Kwon, Byong - Hyon,

    ■■■■ (87.3.16 발급)

- 신국호 마그레브과장 (■■■■생) Shin, Kook - Ho

    ■■■■ (88.12.6. 발급)

- 신각수 차관보좌관 (■■■■생) Shin, Kak - Soo,

    ■■■■ (90.10.25. 발급)

    4. 귀주재국에 대한 지원내역은 500만불 상당 생필품, EDCF 자금 1,500 만불인바 적절한 지원희망품목등 사전 파악바람.

    5 상기 선발대 및 차관일행 항공일정을 귀지에서 필히 재확인후 이상유무 보고바람. 끝.

                               (중동아국장 이 두 복)

예고 : 90.12.31.일반

0031

<table>
<tr><td>분류번호</td><td>보존기간</td></tr>
<tr><td></td><td></td></tr>
</table>

발 신 전 보

번 호 : WCA-0432   901026 1149 AO   종별 : 긴 급
                                         WJO -0408

수 신 : 주   수신처 참조   대사 . 총영사

발 신 : 장 관   (마그)

제 목 : 조사단 파견

연 : WJO - 0407, WCA - 0431

연호 조사단중 ▉▉▉▉▉ 아중동 과장 직책은 귀관 참고로만
하고 귀주재국에는 외무부 외교안보연구원 아중동 연구관으로 통보 바람.

끝.

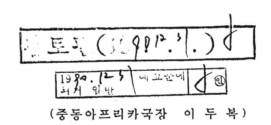

(중동아프리카국장 이 두 복)

수신처 : 주카이로 총영사, 주요르단 대사

예 고 : 90.12.31. 일반

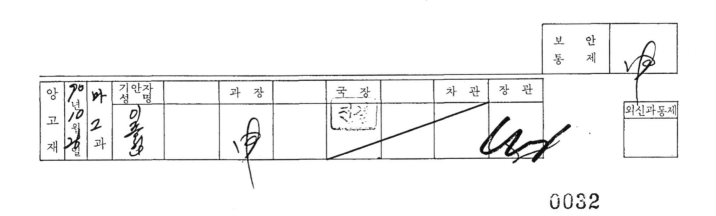

<table>
<tr><td rowspan="2">앙
고
재</td><td rowspan="2">70
년
10
월
26
일
마
그
과</td><td>기안자
성명</td><td></td><td>과 장</td><td></td><td>국 장</td><td></td><td>차 관</td><td>장 관</td></tr>
<tr><td></td><td></td><td></td><td></td><td></td><td></td><td></td><td></td></tr>
</table>

0032

분류번호	보존기간

발 신 전 보

번 호 : WJO-0409   901026 1149 AO   종별 : 긴급

수 신 : 주   요르단   대사. 총영사
                    (마 그)
발 신 : 장 관

제 목 : 직원 출장

대 : JOW - 0539

1. 대호 귀관 건의대로 김참사관을 10.28~31간 시리아에 파견 바람.

2. 김참사관 항공료 및 체재비는 추후 송부 예정인 바, 우선 귀관
   경비에서 입체 지급 바람.   끝.

(이두복 중동아 국장)

예 고 : 90.12.31. 일반

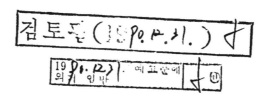

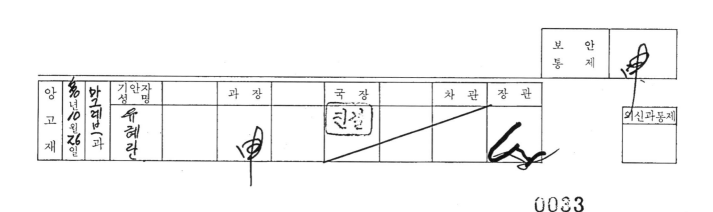

앙고재	기안 자성 명	과 장	국 장	차 관	장 관	보 안 통 제
90년10월26일	유혜란		진설			외신과통제

발 신 전 보

번   호 : WUS-3532   901026 1852   DP   종별 :

수   신 : 주   미   대사. 총영사.

발   신 : 장   관   (미북)

제   목 : 페만 사태 지원 정부조사단

1. 정부는 외무차관을 단장으로 하고 청와대, 안기부, 기획원, 재무부 상공부등 관계부처 국장급으로 구성된 페만 사태 관련 주변국 경제 지원 집행을 위한 정부 조사단을 10.27-11.10 간 이집트, 요르단, 시리아 및 터키에 파견할 예정임. 또한 정부는 상기 조사단의 이집트 및 시리아 방문시 아국과의 수교 문제에 관한 교섭도 진행할 예정임.

2. 이와 관련, 귀관은 상기 사실을 주재국 국무부 및 재무부에 통보 바람. 아울러 귀관은 국무부로 하여금 귀지 주재 이집트 및 시리아 대사에게 아국의 조사단 파견 사실을 전합과 동시 아국의 동국과의 수교문제에 관해 미국 정부가 적극적인 영향력을 행사해 주도록 협조 요청 바람.

3. 또한 국무부로 하여금 이집트 및 시리아 주재 미국 대사에게도 상기 사실을 타전하고 동 조사단 현지 방문시 수교 문제에 관한 협의가 원만히 이루어지는 등 동 조사단의 방문 성과 제고를 위해 최대한의 협조를 제공해 주도록 요청 바람. (상기 2.3항은 당지 주한 미대사관을 통하여도 요청 예정임)

4. 한편, 정부는 10.22. 관계부처회의를 거쳐 페만 사태 관련 주변국 경제 지원 규모를 아래와 같이 잠정 확정하였으니 참고 바람.

　o 이집트 : 총 3000만불(군수물자 700만불, EDCF 1500만불, 생필품 800만불)   / 계속 /

0034

o 터　키 : 총 2000만불(EDCF 1500만불, 생필품 500만불)

　　　o 요르단 : 총 1500만불(EDCF 1000만불, 생필품 500만불)

　　　o 시리아 : 총 1000만불(군수물자 600만불, 생필품 400만불)

　　5. 미국에 대한 수송 지원 문제는 현재 매주 2회 범위내에서 지원을
계속하고 있음을 참고 바람. 끝.

　　　　　　　　　　　　　　　　　(차관 유종하)

예고 : 90.12.31. 일반

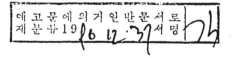

	분류번호	보존기간

발 신 전 보

번 호 : WTU-0451   901026 2307   CG 종별 : 긴급

수 신 : 주   터키   대사. 총영사

발 신 : 장 관   (마크)

제 목 : 조사단 방문

연 : WTU-0450

1. 국내일정상 유중한 차관(신과장, 신보좌관 포함)의 금번 귀지 방문은 취소되었으며 권병현 대사가 대표자격으로 귀지 방문함.

2. 조사단의 귀지 도착일시는 아래와 같이 변경하니 귀지에서도 예약 재확인 바람.

　가. 권병현 대사 : 11. 5(월) 23:50 앙카라 도착 (LH 588)

　나. 조사단 : 　　　　　　・ 11. 5(월) 17:00 이스탄불 도착(TK 811)

　　　　　　　　　　　　　　　　　19:30 이스탄불 향발(TK 898)

　　　　　　　　　　　　　　　　　20:35 앙카라 도착　　　끝.

(중동아국장 이 두 복)

예고 : 90.12.31. 일반

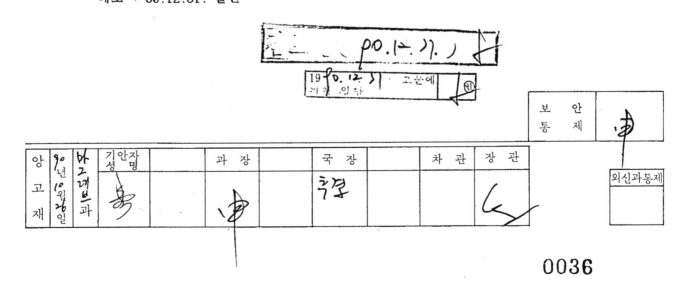

앙 고 재	90 년 10 월 26 일 마그 과	기안자 성 명		과 장		국 장		차 관	장 관		보 안 통 제
										외신과통제	

0036

발 신 전 보

번   호 : WJO-0415   901026 2307   CG   종별 : 긴급

수   신 : 주   요르단   대사. ~~총영사~~

발   신 : 장   관   (마그)

제   목 : 조사단 방문

연 : WJO-0407

1. 연호 조사단 귀지 및 시리아 방문일정을 아래와 같이 변경하니 아래
4개 항공편 현지에서도 필히 예약 재확인 바람.

가. 요르단

- 도착 : 10.31(수) 09:00 RJ 508 편

- 출발 : ~~10.2~~(금) 17:30 RJ 135 편   집토필(1990. 12. 기.
      11.2

나. 시리아

- 도착 : 11. 2(금) 18:30 RJ 135 ~~AZ 745~~ 편   19 90 2 기 예고문에 의거 일반

- 출발 : 11. 4(일) 09:55 AZ 745 편 (차관, 신과장, 신보좌관)

        11. 5(월) 15:15 TK 811 편 (기타단원)

2. 권병현 대사는 금번 귀지 방문대표단에서 제외되었음.

3. 귀관 김균 참사관은 변경된 일정에따라 귀직 판단하에 시리아 출장시행
바라며 소요경비는 추후 보고바람. 끝.

(중동아국장 이두복)

예고 : 90.12.31. 일반

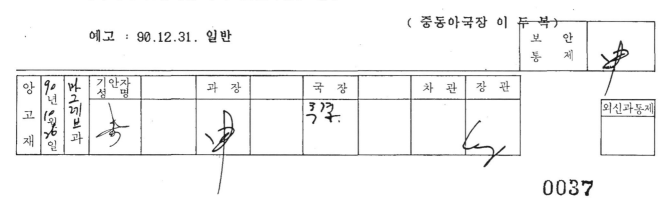

0037

분류번호	보존기간

발 신 전 보

번 호 : WCA-0436   901026 2308   CG 종별: 긴급

수 신 : 주 카이로   대사 . 총영사
          (마그)

발 신 : 장 관

제 목 : 페만조사단

연 : WCA-0431

1. 연호 조사단 귀지 방문일정을 아래와 같이 변경함.

　　가. 도착 : 10.28(일) 18:45 KL 553 편도착 (19 10.12.1.) ✓

　　나. 출발 : 10.31(수) 08:00 RJ 508 편

　　　　19 10.12 4. 예고문에 ✓
　　　　의거 일반

2. 연호 3항의 요르단 방문후 귀지 경유 일정은 취소되었으며 권병현 대사는 금번 귀지 방문 대표단 명단에서 제외되었음.

3. 상기 귀지 출발편 RJ 508 항공편 예약 귀지에서도 재확인 바람. 끝.

　　　　　　　　　　　　　　　　　　　　　(중동아국장 이 두 복)

예고 : 90.12.31. 일반

4. 동 조사단은 요르단 방문후 아래일정으로 시리아 방문예정이며 동 방문건은 주요르단대사관을 통해 조치중이나 상금까지 회신이 없는바 귀지 주재 시리아대사로하여금 조사단의 시리아 방문에대하여 적극 협조토록 요청바람.

　　가. 다마스커스도착 : 11.2.(금) 18:30 RJ 135 편

　　나. 다마스커스출발 : 11.4.(일) 09:55 AZ 745

앙고재	90년10월26일 마그과	기안자성명	과 장	국 장 후결	차 관	장 관	통제 제 안	외신과통제

0038

외 무 부

종 별 :

번 호 : TUW-0699

수 신 : 장관(마그)

발 신 : 주 터 대사

제 목 : 조사단 방문

일 시 : 90 1026 1956

대:WTU-0451

1. 대호 조사단의 당지 출발일정을 조속 회보바람.

2. 대호 조사단을위하여 11.5-7 간 안카라 힐톤호텔에 싱글 7 실을 일단 예약하였으며, 권대사및 조사단의 안카라및 이스탄불 도착항공편은 각각 예약 확인되었으나 조사단원의 이스탄불-안카라간 항공편(TK-898)은 현재 WAITING LIST 상에 있음을 중간 보고함.

(대사 김내성-국장)

예고:90.12.31 일반

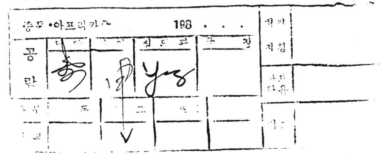

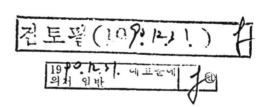

중아국

90.10.27   06:45
외신 2과   통제관 FE

0039

외 무 부

종 별 : 지 급

번 호 : USW-4834   일 시 : 90 1026 1827

수 신 : 장관(미북,중근동)

발 신 : 주 미 대사

제 목 : 페만 사태 지원 정부 조사단

대 WUS-3532

1. 대호 관련, 금 10.26 당관 이공사는 국무부 동아태국 ANDERSTON 부차관보를 면담, 표제 정부 조사단 파견 예정 사실을 통보하고, 아국의 대 이집트, 시리아 수교 문제와 관련, 미국 정부가 적극적인 영향력을 행사해 주도록 요청함. 특히 국무부측이 당지 주재 이집트 및 시리아 대사에게도 아국 조사단의 파견 사실을 통보하고, 또한 아국 조사단의 현지 방문시 수교 문제 관련 원만한 협의를 위해 최대한의 협조를 제공토록 이집트및 시리아 주재 미국 대사에게도 지시해 줄것을 요청함(미측 RICHARDSON 한국과장및 CARTER 담당관, 아측 임성남 서기관배석)

2. 이 공사는 이어서 한. 이집트간 영사관계가 수립된지 약 30 년이 경과했고 양국간 교역 규모가 상당 수준에 달하고 있음에도 불구, 한. 이집트간에 외교관계가 수립되어 있지 않은것은 매우 부자연스런 현상임을 지적하고, 만약 전기 양국과 아국간의 관계 격상을 위한 적극적 노력이 소기의 성과를 거둔다면 아국 국민과 국회에 대해 페만 사태 관련 지원 입장을 설명하는데에도 도움이 될것이라고 설명함.

3. 이에 대해 미측은 기본적으로 아국의 대 이집트, 시리아 수교 노력에 협조할것이라고 하고, 다음 사항을 언급함.

가. 아국의 대이집트 수교 노력을 전적으로 지지하며, 미측으로서도 협조를제공하는데에 아무런 문제가 없을것으로 봄. 참고로, 당지 주재 이집트 대사관측이 페만 사태 관련 한국정부의 지원 내역에 대해 국무부에 문의하는등 관심을 보인바 있음.

나. 시리아의 경우는 상금 테러리스트 국가로 지정되어 있는 상태인바, 미측으로서는 걸프 사태 관련 경제 원조를 제공하지 않고 있으며, 제 3 국의 여사한 원조 제공에 대해서는 이를 장려하지도 않고 저지하지도 않는 일종의 중립적 입장을

미주국   차관   1차보   2차보   중아국   청와대   안기부   대책반

유지하고 있음. 이러한 맥락에서 볼때, 아국의 대 시리아 관계 개선을 위해 행사 가능한 미측의 지원 능력은 제한적일것임.

    다. 이집트 및 시리아가 한국 조사단의 자국 방문 사실 및 방문후 수교 문제에 관하여 협의 예정임을 알고 있는지 궁금함. 이에 관하여 국무부측에 알려 주면 해당 공관을 통해 한국측에 지원을 제공하는데에 보다 더 도움이 될것임.

    (대사 박동진-차관)

    90.12.31 일반

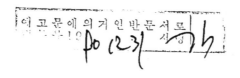

PAGE 2

0041

분류번호	보존기간

발 신 전 보

번 호 : WJO-0416   901027 0943 FA   종별 : 긴급

WTU-0452   WCA-0437

수 신 : 주   수신처참조   대사. 총영사
                    (마그)

발 신 : 장 관

제 목 : 조사단파견

1. 금번 조사단 방문시 협의할 지원대상품목(생필품)을 아래와 같이 예시하니 사전 협의에 참고바람.

　　　일반기기(전화기, 복사기등)

　　　가전제품(냉장고, 라디오, TV 등)

　　　일상용품 (선향, 비누, 치약등)

　　　차량(앰블런스, 트럭, 오토바이)

　　　군용품(군복,헬멭, 텐트, 방탄복등)

2. 다국적군에 지원할 품목은 방독면, 해독제, 침투보호의, 모포, 텐트임.

3 호텔 예약시 Suit 1실 포함시키기 바람.

수신처 : 주 요르단, 터키대사, 카이로 총영사.   끝.

　　　　　　　　　　　　　　　　　　　(중동아국장 이 두 복)

예 고 : 90.12.31. 일반.

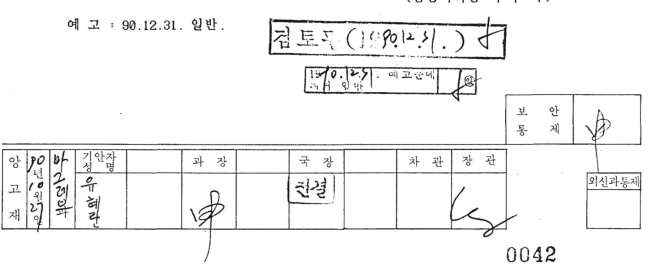

0042

발 신 전 보

번 호 : WJO-0417   901027 1224 FA   종별 : 긴급

WTU-0453   WCA-0439

수 신 : 주   수신처참조   대사. 총영사

발 신 : 장 관   (마그)

제 목 : ~~차관방문~~ 대미 관련조 지원

연 : WJO-0416

WTU-0452

WCA-0437

1. 연호 사전 협의용 아국 지원 가능한 품목리스트 상세를 별첨 타전함. 단, 품명, 규격(또는 재질)순서이며, 일련번호 1-62 까지는 생필품, 63-83은 군수물자임.

2. 군수물자 협의시는 방독면, 침투보호의, 해독제, 모포 및 배낭 5개 품목을 주 대상으로 제시바람.

첨 부 : 제시 가능 품목 리스트 (영문) 각1부. 끝.

(중동아국장 이 두 복)

수신처 : 주 요르단, 터키대사, 주 카이로 총영사

예고 : 90.12.31 일반.

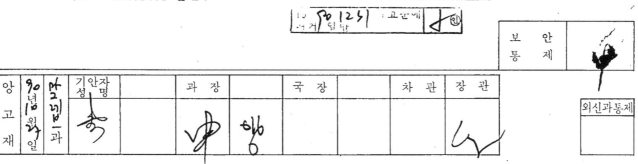

앙 고 재 | 90년 10월 18일 1과 | 기안자
성명 | | 과장 | 국장 | | 차관 | 장관 | | 보안
통제 |
--- | --- | --- | --- | --- | --- | --- | --- | --- | --- | --- | ---

검토 (90.12.31.)

901251

THE ECONOMIC COOPERATION ITEMS FOR MIDDLE EAS

SERIAL NO.	H. S. NO.	I T E M	SPECIFICATION (MATERIAL)
1	5407.60	1. 100% POLYESTER WOVEN FABRIC	P. E.
2	4011.10 4011.20	2. TYRE	TRUCK, BUS & PASSENGER CAR
3	9009.12	3. ELECTRONIC COPY MACHINE	FT 46000 & OTHERS
4	8517.82	4. FACSIMILE	-
5	8469.39	5. ELECTRONIC TYPEWRITER (FOR ENGLISH)	DBM
6	8517.10	6. TELEPHONE	SS 1800
7	8528.10	7. COLOR TV	20"
8	8418.10	8. REFRIGERATOR	SR-271
9	8519.91	9. RADIO	ARC 191 & OTHERS
10	8712.00	10. BICYCLE	T-26, 5-SPEED
11	3401.11.	11. LAUNDRY SOAPS	300 G

0044

SERIAL NO.	H. S. NO.	I T E M	SPECIFICATION (MATERIAL)
12	3401.19	12. TOILET SOAPS	110 G
13	1701.91	13. WHITE REFINED SUGAR	30 KG
14	1101.00	14. WHEAT FLOUR	-
15	4810.11	15. PAPER	ART PAPER
16	2009.00	16. CANNED PRODUCTS	CAN
17	1902.30	17. INSTANT NOODLES	-
18	6402.00	18. SHOES	P.U.
19	7323.93	19. KITCHENWARE	STAINLESS, ALUMINIUM
20	4818.10	20. TOILET PAPER	102MM X 35MM 2 PLY
21	9603.21	21. TOOTH BRUSH	-
22	3306.10	22. TOOTH PASTE	-
23	3304.99	23. OLIVE LOTION	-

0045

SERIAL NO.	H. S. NO.	I T E M	SPECIFICATION (MATERIAL)
24	8212.10	24. RAZOR	-
25	9613.10	25. CIGARETTE LIGHTER	-
26	9608.39	26. PEN & PENCIL	-
27	8513.10	27. LANTERN	-
28	8506.11	28. DRYCELL BATTERY	R20(M) / DM
29	8421.21	29. MINERAL POT	-
30	4601.99	30. CAMPING MAT	-
31	4601.99	31. SUNSHADE SHEET	2MM X 60M X 160M X-150MM
32	6207.11	32. RUNNING SHIRTS	-
33	6115.93	33. SOCKS	-
34	6115.20	34. STOCKING	-
35	5601.10	35. TOWEL	-

0046

SERIAL NO.	H. S. NO.	I T E M	SPECIFICATION (MATERIAL)
36	9404.00	36. BLANKET	MINK
37	3004.10	37. MEDICINE (INJECTION)	ANESTHETIC, ANTIBIOTIC, ANTIPYRETIC ANALGESIC ANTIPHLOGISTI
38	3004.10	38. MEDICINE (TAB)	ANTIDOTE, ANTIBIOTIC, ANTIPYRETIC ANALGESIC ANTIPHLOGIST
39	3006.50	39. MEDICAL HOME KIT	-
40	8703.32	40. AMBULANCE	BESTA
41	8702.10	41. MINI BUS	BESTA 12 PERSONS
42	8702.10	42. MINI BUS	COMBI 25 PERSONS
43	8711.10	43. MOTOR CYCLE	50 CC
44	8427.20	44. FORK LIFT	1.5 TON & OTHERS
45	8429.52	45. EXCAVOTOR	SE 40 W
46	8427.20	46. LOADER	SL 10
47	8429.11	47. DOZER	SD 15P

0047

SERIAL NO.	H. S. NO.	I T E M	SPECIFICATION (MATERIAL)
48	8502.11	48 GENERATOR	145 KW & OTHERS
49	8413.70	49 WATER PUMP	100 MM & OTHERS
50	8705.90	50 WATER PURIFICATION UNIT	MD 1500-1990
51	8430.29	51 POWER TILLER	10 HP
52	8704.31	52 TRUCK	1 TON
53	8704.31	53 CARGO TRUCK	4 X 4 , 3 TON
54	7312.10	54 STEEL WIRE & OTHERS	DIA 1/2" & OTHERS
55	7408.19	55 FIELD TELEPHONE WIRE	—
56	3813.00	56 FIRE EXTINGUISHER	3. 3 KG & OTHERS
57	9022.11	57 X-RAY EQUIPMENT	HB 100 M
58	9018.19	58 ULTRA SOUND SCANNER	SONAR ACE-4500
59	9018.90	59 ANESTHETIC APPARATUS	MINI 7 & OTHERS

0048

SERIAL NO.	H. S. NO.	I T E M	SPECIFICATION (MATERIAL)
60	9018.90	60. ECG MONITOR	CS 502 H
61	9019.20	61. OPERATION EQUIPMENT	—
62	9018.39	62. GENERAL MEDICAL EQUIPMENT	50 SICK BED
63	6203.12	63. CAMOUFLAGE UNIFORM FATIGUE UNIFORM	T/C 65/35
64	6204.33	64. FIELD JACKETS	T/C 65/35
65	6201.11 6201.13	65. MILITARY OUTER GARMENTS	—
66	6403.91	66. COMBAT BOOTS	—
67	6506.10	67. NRP BALUSTIC HELMET	NYLON REINFORCED PLASTIC
68	6306.21 6306.22	68. TENT	NYLON OR COTTON
69	4202.12	69. FIELD PACK (MEDIUM)	NYLON
70	4202.12	70. DUFFLE BAG	NYLON & OTHERS
71	6301.20 6301.40	71. MILITARY BLANKET	WOOL & OTHERS

0049

SERIAL NO.	H. S. NO.	I T E M	SPECIFICATION (MATERIAL)
72	9402.90	72. LITTER	ALUMINIUM
73	6207.92	73. MILITARY ARMOR BODY	–
74	6201.11	74. PONCHO	NYLON TAFFETA
75	8201.10	75 SHOVEL, MATTOK	STEEL
76	3923.29	76. WATER CANTEEN	PLASTIC
77	4202.92	77. SHOVEL COVER, CANTEEN COVER	NYLON
78	4202.12	78 AMMUNITION POUCH	NYLON OR COTTON
79	6209.30	79. PISTOL BELT	NYLON
80	6302.60	80 MILITARY TOWEL	COTTON
81	6115.91	81. MILITARY SOCKS	WOOL & OTHERS
82	6305.31	82 SAND BAG	P.P.
83	6211.33	83. NBC SUIT	–

(REF) 1. ABOVE QUANTITY IS BASED ON ORDER CONFIRMATION UNTIL OCT. 31

2. IN CASE OF LATE ORDER CONFIRMATION AROUND NOV. 15, QUANTITY WILL BE REDUCED ABOUT 50%.

0050

발 신 전 보

번 호 : WUS-3540   901027 1603 FG   종별 : 긴급

수 신 : 주 미 대사. ~~총영사~~

발 신 : 장 관 (마그)

제 목 : 페만 정부 조사단 파견

대 : USW-4834

1. ~~대후ㅇ 다함 관단~~ **페만** 정부조사단은 10.27-11.6간 이집트, 시리아, 요르단, 터키, 순방예정이며 이집트와 시리아 (주요르단대사 경유)측에 정부 조사단 파견 및 방문시 수교문제 협의 희망의사를 기통보하였음.

2. 금번 페만 정부조사단은 아래 일정으로 이집트 및 시리아 방문예정인바 참고바람.

   가. 대표단 : 유종하 차관(단장)외 경기원, 재무부, 상공부, 청와대, 외무부

      관계자 8명

   나. 방문일정 :

     - 이집트 : 10.28(일) 18:45 도착 (KL 553)

           10.31(수) 08:00 출발 (RJ 508)

     - 시리아 : 11.2(금) 18:30 도착 (RJ 135)

           11.4(일) 09:55 출발 (AZ 745)

     단, 동 일정은 차관 및 외무부 수행자 일정이며, 타부처 조사단은 차관일행 출발후 11.5(월) TK 811 편으로 터키 향발함.

3. 유종하 차관은 상기 이집트, 시리아 및 요르단 방문후에 제3차 재정 공여국 회의 참석차 이태리도 방문함. ~~을 참고바람~~. 끝.

(중동아국장 이두복)

앙 고 재	90 년 10 월 27 일	보 존 기 간 과	예관자 성명	'90.12.31.	과장		국장		차관	장관	
			金敗刀				최경				

보 안 통 제	
외신과통제	

0051

원 본

외 무 부

종 별 : 긴 급

번 호 : JOW-0544   일 시 : 90 1027 1600

수 신 : 장 관(마그,기정),사본:외무차관(주 카이로 총영사경유)(중계필)

발 신 : 주 요르단 대사

제 목 : 조사단 방문

대:WJO-0415

연:JOW-0540

1. 대호 4 개 항공편 예약 및 확인필함

2. 주재국측은 아국조사단 접수와 관련, HASSAN 왕세자 예방, QASEM 외상 및 ABDULLAR 기획성 장관등과의 면담이 준비되고있음

3. 양측간 회담에서는 양국간 봉상증진 문제 및 전반적인 경제협력 문제등도 논의되기를 희망하고 있음

4. 김참사관은 시리아 주요인사 면담주선을 위해 10.28-30 간 다마스커스 출장함 (대사 박태진-국장)

예고:90.12.31 일반

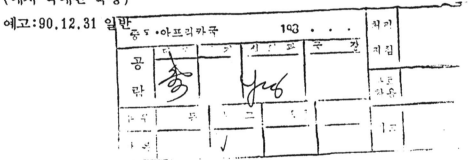

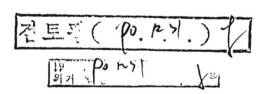

중아국   차관   1차보   2차보   상황실   안기부

PAGE 1   90.10.27   23:32
                                                   외신 2과 통제관 DO

외　무　부

종　별　:

번　호　: CAW-0737   일　시　: 90 1029 1125

수　신　: 장관(마그)

발　신　: 주　카이로 총영사

제　목　: 페만사태 지원조사단

대:WCA-0436

대호, 조사단일행은 작 10.28(일)오후 예정대로 당지에 도착하였음. 끝.

(총영사 박동순-국장)

예고:90.12.31. 일반

예고문에의거일반문서로
재분류19 06 17 31 서명

중아국　미주국　.

발 신 전 보

WBG-0534   901029 1810 FI   종별 : 지급

번   호 :

수   신 : 주 이라크   대사 . 총영사//

발   신 : 장 관   (중근동)

제   목 : 걸프사태 관련국 지원 정부 조사단 파견

　　　　1. 정부는 걸프사태 관련국 지원 조사단 (단장 : 유종하 차관)을
10.27-11.8간 이집트, 요르단, 시리아, 터키에 파견함에 참고바람.

　　　　2. 상기 조사단은 방문국 정부와 아국의 지원 품목 및 물량등 상세사항을
협의 예정이며, 유 차관은 11.5. 로마에서 개최되는 걸프사태 관련 "재정지원 공여국
그룹 조정회의" 제3차 회의에도 참석 예정임.　　끝.

　　　　　　　　　　　　　　　　　　　　(중동아국장　이 두 복)

예 고 : 90.12.31. 일반

19 . . . 에
외거 일반문서로 재

보 안
통 제

양 고 재	90 년 10 월 일	중 근 동 과	기안자 성명 조태용	과 장 	신태관	국 장 	차 관	장 관	외신과통제

0054

외 무 부

종 별 : 긴 급

번 호 : JOW-0549   일 시 : 90 1029 2130

수 신 : 장 관(마그,기정)사본:외무차관(주 카이로 총영사경유 본부중계필)

발 신 : 주 요르단 대사

제 목 : 시리아 방문

연:JOW-0544

1. 금 10.29 11:00 김참사관은 시리아 외무성 ATASSI 아주국장(MANSOUR 부국장 배석)과 면담, 아국 방문단의 시리아 방문사실을 공식통보하고 시리아 정부고위인사들의 면담주선을 요청함

2. 동국장은 현재까지의 양국관계로 보아 방문단의 공식 방문형식은 어려우나 SHARA 외상등 고위층의 관심이 큰점을 감안, 준공식 사절단 접수형식을 취해가능하면 ZUBI 수상및 YASSIN 경제담당 부수상등 고위인사들과의 면담을 주선, 명일 오전중 알려주겠다함

3. 또한 외상과의 회담이 성공적이고 아국 대통령의 ASSAD 대통령앞 문안 구두 메세지라도 있을경우 동대통령 예방가능성도 시사함

4. 동국장은 79년부터 약 7년반동안 주일대사를 역임하였으며 한국을 잘알고있는 직업외교관으로서 자신의 주일대사 재직시 한국과의 관계수립을 본국정부에 수차 건의한바있으나 당시 사정상 거부된바 있다하며, 금번 방문단의 시리아 방문으로 좋은 결실이 있기를 기대하며 자신도 최선의 노력을 다하겠다고 말함

(대사 박태진-국장)

예고:90.12.31 일반

예고문에의거일반문서로
재분류 1990 1231 서명 7

중아국   차관   안기부   장관 대책반 미주국

PAGE 1

관리번호 90/1837

외 무 부

종 별 : 지 급

번 호 : BGW-0893

일 시 : 90 1030 0900

수 신 : 장관(중근동,기문,신이,총외)

발 신 : 주 이라크 대사

제 목 : 직원출장

연:BGW-863

1. 연호관련, 당관 홍기철참사관은 10.29(월) 요르단으로 출발하였음

2. 당관 특파(17 호)는 동인이 지참하였으며, 주요르단대사관에서 발송 예정임.끝
(대사 최봉름-국장)

예고:90.12.31

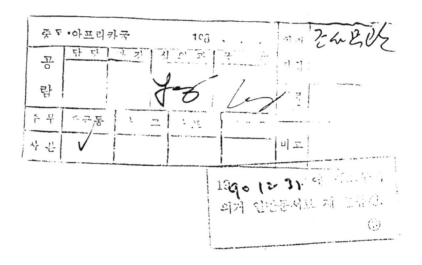

중아국   총무과   기획실   신이

PAGE 1

90.10.31   15:11
외신 2과 통제관 DO

0056

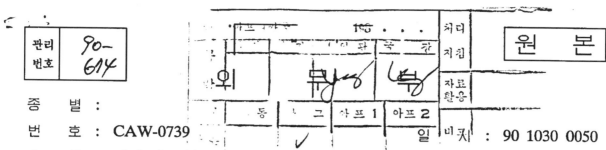

관리번호	90-614

종   별 :

번   호 : CAW-0739

일시 : 90 1030 0050

수   신 : 장관(마그,미북,경이,기정) 사본: 경기원, 재무부, 상공부

발   신 : 차관

제   목 : 걸프만사태관련 지원조사단 순방

1. 소직과 조사단은 10.28. 이집트외무성 YOUSSEF SHARARA 차관과 MEKKI 아주국장의의 공항영접을 받으며 카이로에 무사도착 하였음.

2. 금 10.29. 에는 ABU TALEB 국방장관을 면담한바 요지 아래와 같음.(아측은 박동순대사와 대표단 전원, 애측에서는 TALEB, HALEBY 군수조달본부장등 4 명이 참석함)

- 현 걸프만 사태에 대한 아국입장 및 다국적군 파견국가와 주변피해국에 대한 아국지원계획, 특히 이집트에대한 집중지원 배경설명 및 상세지원 내역통보

- 한쏘 외교관계수립, 한중무역대표부 교환, 비동맹제국과의 외교관계수립, 남북총리회담 진전사항 및 북한의 대일수교 제의 배경등 최근 한반도 주변정세설명.

- 이집트가 <u>중국을 제외하고는 한국과 유일한 중요 미수교국임을 지적하고,</u> 양국간 정식수교를 통하여 경제분야 및 군사분야 특히 방산분야에서의 상호협력이 가능하다는 점을 강조

3. 이에대하여 ABU TALEB 국방장관은 아래와 같이 언급함.

- 소직일행의 방애환영 및 한국측의 지원에대한 사의표명

- 한국측이 제시한 지원가능품목 검토결과 반드시 군수물자에 국한될 필요가 없고 군용자동자, 전기제품등 일반 민수용품도 가함.

- 한국의 군수산업발전에 깊은 관심을 표하며 양국간에 이 분야에서의 추후협력을 희망

- 앞으로 적당한 시기에 대사급관계로 발전할 것으로 확신함.

- 한국측이 제시한 지원가능한 품목에대해 양측 실무자 회의를 제의함(동 회의결과는 별전보고)

중아국	장관	미주국	경제국	안기부	경기원	재무부	상공부

PAGE 1

90.10.30   07:44
외신 2과 통제관 FE

0057

4. 이어 BOUTROS GHALI 외교담당 국무성과의 면담이 있었는바(박대사, 신과장, 신보좌관, 애측에서는 MEKKI 아주국장외 1 명이 배석), 소직은 상기 TALEB 국방장관에게 언급한 내용을 다시 설명하고 특히 이집트가 한국의 마지막 미수교국이 되지않도록 조기에 수교할것을 강력히 촉구함.

5. 이에 대해 GHALI 국무상은 다음과같이 언급하였음.

   - 걸프만 사태관련 한국정부의 이집트 정부입장 지지및 경제지원결정에 사의표명

   - 이집트는 걸프만사태로 해외근로자 유입문제, 수에즈운하수입 감소, 관광수입 격감등으로 심각한 타격을 받고 있음을 설명

   - 현재 아랍권 일부의 대이라크 타협가능성 보도에도 불구, 침략에 대한 타협이 허용될 수 없는만큼 평화적 해결방안은 매우 제약되고 있으며, 무력해결 가능성이 상당히 큼. 다만 최악의 경우는 비평화, 비전쟁 상황이 장기간 지속되는것인바, 아랍내부에서 반미감정이 발생하고 각종 중동문제의 상호연계가 이루어져 혼란이 가중될 것임.

   - 총리급 남북대화 진전을 환영하며, 남북한 화해 분위기는 이집트와 같은 제3 국이 한국과의 외교관계를 증진시킬수 있는 기회를 제공함. 한. 애 관계 정상화 전망에 관하여 과거 어느때보다 낙관적으로 보며 명 91 년에는 본인이 공식정부대표로서 방한할 수 있을것으로 봄.

6. 관찰사항

   - TALEB 국방장관과 GHALI 국무상은 한국의 수교희망에 대하여 심리적 압력을 크게 받고있는 것으로 보이며 상부에 대하여 한. 애 수교에 도움이 될수있는 새로운 사실을 청취하기를 희망하는 인상이었음.

   - 이에대하여 소직은 북한의 태도변화 징후, 특히 대일수교 제의배경과 중국의 대한 태도개선을 설명하면서 이집트가 최후의 미수교국이 되지않도록 촉구하였음.

   - 소직의 관측으로는 이집트가 늦어도 91 년중에는 한국과 수교를 합의해야하는것으로 느끼고 있다는 감촉을 받았음. 끝.

   (차관 - 장관)

   예고:90.12.31. 일반

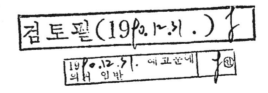

PAGE 2

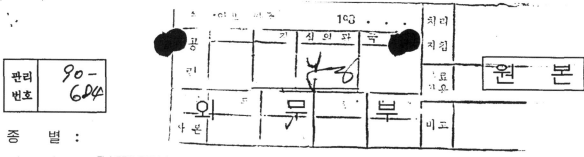

원 본

외 무 부

종 별 :

번 호 : CAW-0741

일 시 : 90 1030 1020

수 신 : 장관(마그,미북,경이,기정) 사본: 경기원, 재무부, 상공부

발 신 : 차관

제 목 : 걸프만 사태관련 조사단(2)

연:CAW-0739

10.29. 국방부장관 면담후 이집트 군수조달 본부에서 가진 아측 조사단(단장이외 전원참석) 과 이집트측 EL GHAMRAWY DAWOOD 관계관(육군소장)과 협의한 내용은 아래와 같음.

1. 다국적군 지원경비 700 만불 사용건

가) 이집트국방부에서 희망품목을 검토하되 군에서 필요로하는 민수용품도 가함.

나) 이집트측이 검토코자하는 품목은 아측제시 리스트중 40,41,42,44,46,47,52,53,62,63,83 및 방독면임.

다) 상기품목에 대한 카탈로그, 사진, 가격, 상세 설명서등을 가능한 조속 송부해주면 검토하여 결정함.

라) 아측은 운임, 보험료등 제비용이 상기금액에 모두 포함되있음을 재확인함.

2. EDCF 자금

가) 이집트국방부는 사막에서 바람과 모래로 부터 눈등을 보호하는 안경이나 탱크용 유리및 야간에서 조명역할을 하는 특수유리 생산에 한국측이 지원해주길 희망했음.

나) 이집트에 상기특수유리 생산공장이 있으나 확장 또는 신축필요성이 있는바 한국측 전문가가 현지공장을 방문하여 조사해 줄것을 희망했음.

다) EDCF 자금이 경제개발을 위한 프로젝트에 우선 배정됨을 감안, EDCF 와관련없이 동분야 한국업체와의 합작부자추진도 가하다한바 아측은 검토해 보겠다고 답변했음.

3. 기타참고 사항

가) 국방부장관 면담시 소직은 아국의 방위산업분야의 발전상, 아구군의 규모와

중아국	장관	1차보	2차보	미주국	경제국	청와대	안기부	경기원
재무부	상공부							

PAGE 1

90.10.30   17:48

외신 2과 통제관 BW

0059

우수한 훈련상태등을 자세히 설명해줌으로써 이집트측이 많은 관심을 갖고있는 군부야에서 아국에 큰 관심을 갖고 아국과의 협력필요성 및 이를 위한 관계증진 필요성을 강조한바 있음

　나) 이에 국방부장관은 자신이 미처 알지못한 많은것을 알게되고 아국방위 산업분야 발전에 감탄한다고 하면서 아국과 동분야에서의 협력강화 희망을 표하였음. 끝.

　(차관-장관)

　예고:90.12.31. 일반

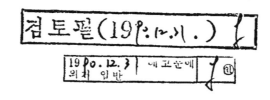

PAGE 2

0060

관리
번호 90-2308

외 무 부

종 별 :

번 호 : CAW-0744   일 시 : 90 1031 0230

수 신 : 장관(마그,미북,경이,기정)사본:경기원,재무부,상공부

발 신 : 차관

제 목 : 걸프만사태관련 조사단(3-이집트)

   본직은 10.30. AHMED MEGUID 외무장관 및 ATEF EBEID 내각사무및 행정개발 국무상과 면담한바 요지 아래와 같이 보고함.

  1. 외무장관

   (박동순총영사, 신국호과장, 신각수보좌관, 정용칠사무관 및 SHARARA 외무차관, MEKKID 아주국장 배석)

   가) 본직은 우선 최호중 외무장관의 안부인사를 전한후 걸프만사태에 있어서 이집트가 취한 입장을 지지한다는 아측입장을 표명하면서 동 사태로 각종 어려움을 겪고있는 이집트에 3000 만불상당의 준군사용품, 생필품및 EDCF 자금지원계획을 통보하였음.

   나) 아울러 한반도정세에 대하여 본직은 북방외교에 따른 중.소와의 관계증진과 남북대화의 진척, 북한의 경제적 곤란에 따른 대일수교제의등 북한의 정책변화 징후에 관하여 설명하였음.

   다) 한. 이집트 관계에 대해서는, 30 년간 영사관계를 유지해왔음에 비추어이제는 외교관계를 수립할 단계에 이르렀음을 강조하고 아울러 아국은 1991 년안으로 중국과 수교하고 유엔에 가입하고자 목표를 세우고 있는바, 그이전에 한.이집트관계가 정상화되어 의미있는 관계로 발전되길 바란다는 희망을 표명하였음. 라) 이에 대하여 MEGUID 장관은 한국의 이집트 경제지원 계획통보에 사의를표명한후 한반도 정세와 관련 북한이 남북대화에 응하고 일본과의 관계정상화를제의한것은 긍정적인 발전으로 보고 이를 환영하면서 이집트로서는 그렇지않아도 한국과의 관계 정상화가 필요하다고 느끼던 차에 남북한 총리회담까지 열리고있으므로 한국과의 관계정상화를 긍정적으로 검토하겠다고 말하였음

   마) 본직은 이집트의 대한국 수교조치가 뜻이있고 한국측으로부터

| 중아국 | 장관 | 차관 | 1차보 | 2차보 | 미주국 | 경제국 | 청와대 | 안기부 |
| 경기원 | 재무부 | 상공부 | | | | | | |

PAGE 1   90.10.31   09:54
                                          외신 2과 통제관 BT

0061

평가되기위하여서는 한국의유엔 가입이나 중국과의 관계정상화 이전에 수교해야 함으로현시점이나 또는 최소한 가까운 장래에 이러한 정치적 결단을 내릴것을 요망하였음.

바) 이에 동장관은 양국관계 정상화가 조기에 실현되기를 기대한다고 언급하면서 한국외무장관과는 유엔총회시 만나왔었는데 금번에는 사정상 만나지 못했는바 각별한 개인적 안부를 전해달라고 말하였음.

2. 내각사무및 행정개발국무상 (외무장관 면담시 배석 아측인사 및 아주국장배석)

가) 본직은 금번 걸프사태에 임하여 한국의 대 이지트지원 사실을 알리면서동장관 관장하에 있는 제반 경제행정분야에 있어서 양국관계가 더욱 진전되기를바란다는 희망을 표명하였음

나) 동장관은 자신의 관장하에 있는 사항중 전국 호적정리를 위한 전산기록작성, 산림녹화 분야, 환경보존분야, 자유시장 체제에 대비한 경제개방분야, 걸프지역등에의 진출을 위한 한. 이집트. 걸프지역국가의 삼각협력, 면화재배등 농업생산성 향상을 위한 기술지원 등 각종 분야에 있어서 한국정부와 한국민간회사들이 적극 지원하여 줄것을 요청하였음.

다) 이에대하여 소직은 양국간의 경제구조에 있어서 상호 보완적인면이 많고특히 한국의 개발경험이 이집트의 경우에 적용될수있는 점이 많으므로 양국정부간 협력을 강화할수 있을것이라고 언급하면서 특히 행정전산분야에 있어서는 아국의 제의한 EDCF 자금의 적용도 일단 검토해볼수 있을것임을 시사하였음

라) 소직은 또한 이러한 협력관계에대한 한. 이집트양국간의 기반을 조성하기 위해서는 관계정상화가 필요함을 강조한바 동장관은 한. 이집트 양국관계 발전을 위한 정치적 결단이 가까운 장래에 이루어질것으로 확신한다고 말하였음.

마) 이에 소직은 이러한 정치적 결단이 시기를 놓치지않고 조기에 이루어지는것이 중요하므로 이를 위한 동장관의 협조를 요청한다고 말하였는바 동인은 최선을 다할것임을 약속하였음.

바) 동장관은 일반행정 및 이집트 정부의 각종분야에 다 관련되어 있음에 따라 대통령 측근의 관방장관 역할을 하고있어 정부내 및 대통령에 대한 영향이 매우 큰것으로 알려져있음.

(차관-장관)

예고:90.12.31. 일반

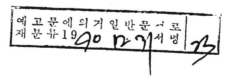

외 무 부

종 별 :

번 호 : CAW-0745

일 시 : 90 1031 0235

수 신 : 장관(마그,미북,경이,기정)사본: 경기원,재무부,상공부

발 신 : 차관

제 목 : 걸프만사태관련 조사단(4-이집트)

소직일행은 금 10.30 YOUSSEF SHARARA 외무차관을 비롯한 외무성 간부들과 실무회의를 가진바 토의요지 아래와 같음.

(아측조사단 전원 참석및 이집트측 참석자 하단 후반 명기)

1. 걸프만사태

가) 본직은 아측 지원내용을 공식봉보하고 구체적인 토의를 위한 별도의 실무회의 개최를 제의하였음.

나) 애측은 각국으로 부터의 지원상황 및 수원계획을 협의하기 위하여 15 개부처간 위원회가 구성되어 있으므로 한국측이 제시한 품목 리스트(생필품)를 동관계부처 회의에서 기타국들이 지원할 내용들과 함께 종합적으로 검토한후 결과를 아국 총영사관을 통해 알려주겠다고 하였음.

다) 동 걸프만 사태에 있어 이집트가 주변국 어느나라보다도 가장큰 정치적경제적 타격을 받고 있는바 한국이 피해국에 대한 원조를 함에있어 이집트에 가장큰 호의를 보이는것은 옳은 결정이며 이에 또한 사의를 표함.

2. 한. 이집트 쌍무관계

가) 소직은 한반도 정세변화와 북한사정 및 북한의 대일 국교정상화 제의등북한의 정책변화를 설명하고 이집트의 대한수교를 촉구하였음

나) 소직은 특히 아국이 대이집트지원을 집행해 나가는 과정에서 아국국회와 언론등이 한. 애 국교관계 부재사실을 지적하면서 대이집트 지원사실을 비판할 가능성이 큼에 비추어 이집트가 한국정부의 입장을 비호할 수 있도록 외교적인 조치를 취하여 줄것을 촉구하였음.

다) 이에 대하여 이집트측의 답변요지는 아래와 같음.

- 솔직히 말하여 이집트는 대북한관계 때문에 대한국관계를 지연시켜 왔는바 이를

중아국 재무부	장관 상공부	차관 대책반	1차보	2차보	미주국	경제국	안기부	경기원

현단계에서 당장 수정하기를 어려우나 한국이 이집트가 어려운 시기에 원조를 제공한 사실은 한. 이집트관계에 극히 긍정적으로 반영될것임.

- 이집트는 비록 수교문제를 지연시켜 왔으나 각종 국제무대에서는 한국입장을 지지해왔는바 최근의 예로써 IAEA 원자력문제 토의시는 북한을 거명하면서 IAEA 안전조치협정을 체결토록 촉구하였으며 금번 유엔 총회시는 유엔의 보편성원칙을 강조함으로써 한국의 유엔가입을 간접지지한바 있음.

- 한국총영사관에게는 북한대사관에 비해 조금도 불리하지않게 협조를 제공하고 있으며 한국총영사는 오히려 북한대사보다 더 실질적 대우를 받고 있음.

- 아울러 한국이 각국과 수교함에 있어 이집트가 마지막으로 수교하는 나라로 남지않도록 유의하겠음.

(동 회의시 이집트측 참석자 명단)

AMB.YOUSSEF SHARARA 외무차관

AMB.AHMED MEKKI 아주국장

AMB.SAAD EL-FARRARGY 경제국장

AMB.MANIR ZAHRAR 국제기구국장

MINIST.PLENI. ALY EL-NAGGRY 외무차관 보좌관

(차관-장관)

예고:90.12.31. 일반

예고문에의거일반문서로 재분류1990 12 31 서명

외 무 부

종 별 :

번 호 : CAW-0746   일 시 : 90 1031 0240

수 신 : 장관(마그,미북,기정)

발 신 : 차관

제 목 : 걸프만사태관련 조사단(5-이집트)

    금번 본직 이집트 체류중 주이집트 WISNER 미국대사 및 외무성 간부들과의 공식, 비공식 환담을 통하여 한. 이집트 양국문제에 관하여 받은 인상을 아래와 같이 보고함.

    1. 이집트 외무성내에서의 대한국 수교 필요성은 충분히 성숙되어 있으나 수교에 대한 주요장애를 무바락 대통령의 대북한 태도인바 1973 년 전쟁당시 이집트 공군참모총장이었던 무바락대통령이 당시 북한의 대이집트 공군지원에 대하여 북한에 커다란 개인적 신세를 느끼고 있으며 그후 2 차에 걸친 방북결과로 무바락 대통령은 김일성간의 개인적인 친분이 크게 심화된것이 수교지연의 주요요인으로 작용하고 있음.

    2. 따라서 이집트정부내의 관료들은 무바락대통령의 이러한 심중 때문에 대통령에 대하여 대한국관계 건의를 과감히 하지못하고 있음.

    3. 이집트외무성 관료들은 이러한 상황에 따라 실무적인 차원에서는 한국총영사를 북한대사에 우선하여 또는 유리하게 대하고 있으며 국제기구에서는 아측의 지지요청에 대해 거의 예외없이 협조를 해주려하고 있는것으로 보임.

    4. 금번 한국의 대이집트지원과 관련 이집트가 경제적 지원 때문에 정치적 태도를 바꾼다는 인상을 대하기위하여 아측 경제지원은 당장 수교에 반영되지는 않을것이나 한국에대한 점진적 관계개선에는 큰 기여를 할 것으로 판단됨.

    5. 이집트 외무장관 및 외교담당국무상은 이집트가 한국과 수교하는 마지막나라가 되지않기 위하여 시기를 보고 있다고 하는바 남북대화의 진전을 좋은계기로 삼고 있으며 1991 년중에 계기를 보고있는 인상을 주고 있음.

    6. 단지 이집트는 북한이 자진하여 태도를 바꾸는 일은 없을것으로 보며 이집트가 한국과 수교하는 경우 결국 북한이 강하게 반발하고 나오는 것은 불가피 하다고

중아국   장관   차관   미주국   안기부

보고있으나 <u>아국과 관계를 밀고나갈 심적 준비가</u> 되어있는것으로 보임.

(차관-장관)

예고:90.12.31. 일반

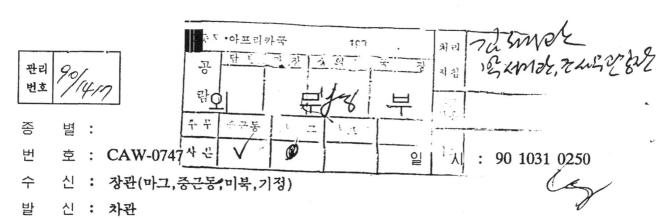

관리
번호 90/1417

종 별 :

번 호 : CAW-0747

수 신 : 장관(마그,중근동,미북,기정)

발 신 : 차관

제 목 : 걸프만사태관련 조사산(6-이집트)

일 시 : 90 1031 0250

본직은 10.29-30 간 이집트 주요각료들과의 면담외에 10.30. 에는 외무차관주최로 외무성간부들이 참석한 오찬이 있었으며 동일아침에는 주이집트 WISNER미국대사와의 조찬이 있었는바 이들과 환담시 현 걸프만사태 현황 및 전망, 특히 전쟁발발 가능성 및 시기등에대해 탐문한 내용을 아래와 같이 보고함.

1. 이집트 및 미측 공히 평화적 해결가능성은 제약되어 있다고 보며 군사적충돌가능성이 큰것으로 보고있음.

2. 단 군사행동을 개시하기로 결정한다면 시기는 11 월중이 가장 유력한바 이집트는 금번 위기로 인한 각종 손실을 조기에 막고 특히 중동지역에서 팽배할수 있는 친이라크 여론의 확산을 막기 위하여 가급적 빠른 시일내에 다국적군이 군사행동을 취할것을 요구하고 있음.

3. 반면 미측은 깨끗한 결과를 가져오기 위하여 가급적 완전한 준비조치를 취하는것이 필요하다고 보고 이집트측을 설득 하고 있는것으로 보임. 단 미국은 현재 체니 장관이 언급한 10 만명의 증원군이 배치된 이후에야 꼭 군사활동을 할수 있다는것은 아니며 현재의 COMMAND CONTROL 및 COMMUNICATION 개선이 완료되는 시점에 군사행동을 취할수 있다고 보고 있음.

4. 미측은 이라크군의 저항이 적지않을것이며 이라크군이 십중팔구 화학무기를 사용할것 이므로 인명피해 및 비참상은 상당할것으로 평가하고 있음.

5. 이집트로서는 사담후세인의 제거만으로서는 만족할수 없고 이라크의 전력을 축소시키는것이 필요하나 만약에 이라크의 군사력을 지나치게 파괴시키는 경우 장기적으로 이란에 의한 대아랍우위를 가져와 중동의 균형을 깰 위험성이 있으므로 적절한 수준에서 이라크 전력을 보존시키기를 희망하고 있음.

6. 금번사태가 정상화된 이후 걸프지역에대한 이집트의 역할은 일층 증대될것임.

중아국   장관   차관   1차보   미주국   중아국   안기부

단 이집트와 시리아의 상호불신 및 대결 관계는 첨예할 가능성이 있음.

(차관-장관)

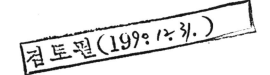

예공:90.12.31. 일반고문에
의거 인반문서로 재 분류됨.

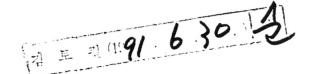

PAGE 2

0068

외 무 부

종 별 : 긴 급

번 호 : JOW-0554   일 시 : 90 1031 1800

수 신 : 장 관(미북,마그)

발 신 : 차관(주 요르단대사 경유)

제 목 : 걸프만 사태 조사단 일정(로마조정국 회의 참가)

　　1. 시리아는 소직의 시리아 체제일정관련 그간 한.시리아 관계개선에 직접 관여하여온 TLAS 국방장관이 11.4. 저녁에 소직과 만찬을 가질것으로 희망하여 왔음

　　2. 표제 조정국 회의에는 권병현 대사와 재무부 기획관리 실장이 참석할 예정임을 감안, 소직은 11.4. 오후까지 시리아 일정을 연장, 11.5. 오전 로마에 도착, 미측 관계자만을 면담하는 것으로 일정을 변경코자 하니 재가하여 주시기 바람

　　(차관-장관)

11. 2 - 11.4
11.4 09:55

예고문에 의거 일반문서로
재분류 1990 12.31 서명

미주국   장관   중아국

90.11.01   06:29
외신 2과 통제관 CW

0069

분류번호	보존기간

발 신 전 보

WJO-0433   901101 1837 DQ   종별 지 급

WUS-3596 WIT-0983

수　신 : 주 요르단   대사. 총영사   차관 (사본:주미대사, 주이태리대사)

발　신 : 장 관   (미북)

제　목 : 조사단 일정 변경

대 : JOW-0554

　　1. 대호 귀 건의대로 시리아 방문일정을 연장, 한.시리아 수교를 위한
고섭을 계속 추진하기 바람.

　　2. 한편, 로마 조정회의는 권병현 대사로 하여금 적의 참석토록 조치
예정임.　　　끝.

(장관 - 차관)

예 고 : 91.6.30. 일반

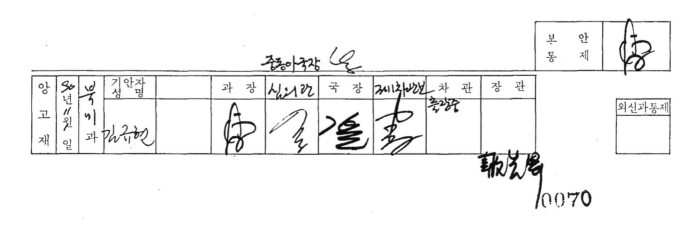

검 토 필 (1990.12.31) 705

예고문에 의거 일반문서 재분류함 1991.6.30 서명

외 무 부

종 별 :

번 호 : CAW-0754

일 시 : 90 1101 1455

수 신 : 장관(마그,경이)

발 신 : 주 카이로 총영사

제 목 : 페만관련 지원

연:CAW-0741

대:WCA-0439

연호 1 항 다(주재국측이 검토코자 하는 10 개 품목 -63 번제외- 에대한 카다로그,
사진, 가격 상세 설명서등)를 조속 송부되도록 조치바람. 끝.

(총영사 박동순-국장)

예고:90.12.31. 일반

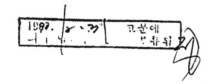

중아국   경제국

PAGE 1

90.11.01   22:57

외신 2과 통제관 DO

정 (사) 0071

외 무 부

종 별 : 긴 급

번 호 : JOW-0555
일 시 : 90 1031 1800

수 신 : 장 관(마그,미북,정이,기정)

발 신 : 차관(주 요르단 대사 경유)

제 목 : 걸프만 사태 조사단(7-이집트)

　　1. MEKKI 이집트 외무성 아주국장은 금 10.31 공항에서 소직을 전송하는 자리에서 본직의 이집트 방문결과에 관하여 다음과 같이 자신의 평가를 전하여 왔음

　　2. 금번 소직일행의 방문중 가장 중요한 면담은 ABU TALEB 국방장관과의 면담으로 이는 무바락 대통령의 사전 재가를 얻지않고 불가능한바, 회담결과가 좋았다는 평가를 접함. MEGUID 외무장관 및 GHALI 국무상과의 면담에서 아측이 한. 애 수교를 강요하는 인상을 피하면서 유연한 자세를 취하여 오히려 이집트측으로서는 부담감을 증가시켰다고 보며 특히 북한과의 관계에 있어서 북한을 공격하지않고 남북대화를 진지하게 평가하면서 북한을 국제사회의 일원으로 유도하는데이집트가 건설적으로 기여해 주기를 바란다고 말함으로써 남한 공격을 상습으로 하는 북한의 태도와 대조를 보였으며, 남북대화를 한국과의 수교 계기로 삼으려는 이집트측 생각과 부합하였음

　　3. 한국측이 금번에 제공한 경제원조와 수교를 연계시키는 언급을 피한것은 현명한 조치였음

　　4. 한국과의 수교는 금번의 면담결과에 기초하여 무바락 대통령이 결정하는바 북한이 어떻게 나올것인지는 두고보아야 할것이나, 이러한 결정은 4-6 개월이내에 가능하지 않을까 하는 감촉을 받고있음

　　(차관-장관)

　　예고:90.12.31 일반

예고문예 의거 일반문서로
재분류 19   0123   서명

중아국	장관	차관	1차보	2차보	미주국	정문국	청와대	안기부

90.11.01　06:27
외신 2과　통제관 CW

0072

외 무 부

종 별 : 긴 급

번 호 : JOW-0558
　　　　　　　　　　　　　　　　일 시 : 90 1101 1030

수 신 : 장 관(마그,미북,경이,기정),사본:경기원,재무부,상공부

발 신 : 차관(주 요르단 대사 경유)

제 목 : 걸프조사단(8-요르단)

　　1. 본직과 조사단일행은 10.31 이집트를 떠나 요르단에 도착하여 MUTASEM BILBEISI 외무차관과 SHAKEER ARARBIAT 아주국장의 공항영접을 받았음

　　2. 본직은 당일 KHALID ABDELLAH 경제기획부장관을 방문, 아측조사단 전원과 동기획부 간부들이 배석한 가운데 아국지원에 관한 협의회를 가졌는바 먼저 본직의 걸프만 사태관련 주변 피해국에 대한 아국의 지원결정 사실과 대요르단 지원내역 설명해 주었음

　　3. 이에 ABDELLAH 장관은 요르단의 어려운 시기에 한국이 조사단을 파견하여 원조를 제공한데 대하여 심심한 사의를 표하였음

　　4. 요르단측과는 동장관 참석하에 질의문답형식으로 상세한 토의가 있었는바 요지는 별전보고함

　　5. 10.31. 오찬은 한. 요르단 친선협회장이, 만찬은 BILBEISI 외무차관이 주최하였음

　　(차관-장관)

　　예고:90.12.31 일반

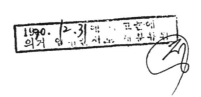

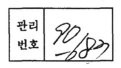

외 무 부

종 별 : 긴 급

번 호 : JOW-0559   일 시 : 90 1101 1030

수 신 : 장 관(마그,미북,중근동, 경이,기정),사본:경기원,재무부,상공부

발 신 : 차관(주요르단 대사경유)

제 목 : 걸프만 조사단(9-요르단)

　　　　본직은 10.31 요르단 경제기획부 방문후 박태진 대사, 신국호과장 및 김균참사관을 대동하고 HASSAN BIN TALAL 왕세자와 MUTASEM BILBEISI 외무차관을 예방하였는바 주요면담요지 아래와 같음(면담은 모두 회의실에서 여러명의 배석자가 참석하여 회담식으로 진행됨

　　　　1. HASSAN 왕세자

　　　　(요르단측은 상공부 장관, 경제기획부 차관, 왕세자 경제고문 및 법률고문 배석)

　　　　가)왕세자는 걸프만 사태와 관련 요르단이 이라크의 대변자 또는 이중적 입장을 취하고 있다는 오해를 받고 있는바 이는 매우 부당하다고 말하였음

　　　　나)요르단은 무력에 의한 타국영토강점을 반대하고 현걸프만 사태에 관한 유엔결의를 존중하며 대이라크 제재에 참여하고 있어 요르단이 도덕적으로 비난받을 대상은 아닌바 일부아랍국가 및 미국등으로 부터 마치 요르단이 별도로 행동하고 있는듯한 비난을 받고있음. 또한 요르단은 아카바만 봉쇄로 많은 경제적 타격을 입고있음

　　　　다. 이집트, 터키는 현사태로 3-4%의 GNP 손실이 예상되고 있으나 요르단은 13-15%의 손실이 예상되어 매우 심각하며 그외 난민운송, 실업등으로 타격이 큼

　　　　라)객관적인 측면에서 금번 대이라크 제재와 팔레스타인 문제로 인한 대이스라엘 제재를 비교할때 대이라크 제재는 공정성을 잃고있는바, 팔레스타인 문제와 연계하여 취급해야함

　　　　마. 본직은 이에대해 아국은 현걸프만 사태에의 직접 당사자는 아니나 경제측면에서 많은 영향을 받고있어 현사태의 추이를 면밀히 관찰하고있으며, 이번사태로 피해를 입고있는 나라의 부담을 덜어주기위해 능력한도내에서 기여코자함을 설명하고 대요르단 지원내역을 통보함

중아국	장관	차관	1차보	2차보	미주국	중아국	경제국	상황실
정와대	안기부	경기원	재무부	상공부				

PAGE 1

공람	국제경제국	년 원 일	담 당	과 장	국 장	차관보	차 관	장 관

90.11.01   19:35

외신 2과 통제관 DO

0074

바)아울러 한바도 주변정세 변화상황, 남북관계등을 설명해주었음

2. BILBISI 외무차관

(외무부 정무국장, 국제기구국장, 아주국장등 4 명참석)

가)동차관도 걸프만 사태에 요르단이 받고있는 오해의 부당성및 이라크의 쿠웨이트 침공초기부터의 후세인 국왕의 평화중재노력, 현사태 해결을 위한 후세인국왕의 제안(대이라크 무력행동 자제보장, 이라크군의 철수, 외국군의 철수, 아랍군에 의한 대체)및 아랍각지역에서의 영토분쟁 잠재 사실등을 자세히 설명하였음

나)본직은 금번 방문의 목적인 주변피해국에 대한 재정지원입장을 설명하고 아울러 한바도 정세와 남북한 관계현황을 설명해주었음

다)요르단측은 또한 양국관계에 있어 국제무대에서 아국을 항시 지지해 왔음을 상기시키면서 아국의 유엔가입 신청시 찬성할 것이며 금번 총회기조연설에서는 걸프만사태에 대해서만 언급하고 다른 사항은 일체언급하지 않았으나 아국지지 입장은 변함이 없다고 다짐하였음

3. 요르단 조야는 HASSAN 왕세자 BILBEISI 외무차관 외무성국장 및 언론에 이르기까지

(1)사태초기 아랍연맹내에서의 요르단의 평화적인 노력을 미국과 아랍일부 국가들이 오해하고 있음을 분격하고 있으며

(2)대이라크 경제제재조치및 난민유입으로 인해 주변 어느국가보다 요르단이 피해를 받고있음을 억울하게 생각하고

(3)팔레스타인 문제 및 예루살렘 민간인 살해사건등과 관련 미국 및 유엔의 입장(CONDEMN 용어대신 DEPLORE 라고한점)을 못마땅하게 여기고 있으며

(4)아카바만에 있어서 미국해군의 검열조치가 부당하고 공정치 않으며

(5)최근 미국의 대걸프만 정책이 전쟁일변도로 공세적인 분위기를 몰고나오는데 대하여 심각한 반대입장 및 비판적인 시각을 보이고 있음. 이러한 비판적인 입장은 미국뿐 아니라 이집트 및 시리아에 대해서도 팽배되고있음. 단지 전쟁발발 가능성에 대하여는 현재 미국의 재반 정책방향이 11 월을 중심으로 하여 군사적인 행동이 재시될 것을 우려하고있음

4. 상기 HASSAN 왕세자 예방후에 요르단 T.V. 와의 현걸프만 사태 및 양국관계에 관한 인터뷰가 있었으며 동 TV 는 본 조사단 활동사항에 관하여 약 10 분간 뉴스방영하였으며 익일 아침 조간에도 보도되었음

PAGE 2

0075

(차관-장관)

예고:90.12.31 일반

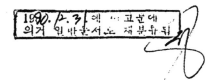

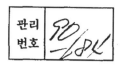

외 무 부

종 별 : 지 급

번 호 : JOW-0561 ✓   일 시 : 90 1101 2240

수 신 : 장관(마그,미북,경이,기정),사본:경기원,재무부,상공부

발 신 : 차관(주요르단 대사경유)

제 목 : 걸프만 조사단(10-요르단)

　　대요르단 지원문제에 관한 본직과 ABDULLAH 경제기획부 장관간 대체적 토의후 10.31 동일 양측은 구체적인 실무협의를 계속하였는바 토의결과 아래와 같음

　　(아측 이철수 예산국장, 이정보경협국장, 황두인 상역국장등 7 명, 요르단측 NABIL SWEIS 경제기획부 차관보등 5 명)

　　1. EDCF 자금(1000 만불)

　　가)이자율에 대해 아측이 요르단 1 인당국민소득을 기준으로 하여 4.2%라고 하자 요르단측은 작년소득기준은 곤란하며 세계은행도 요르단의 심각한 경제사정을 고려 이자율 재조정을 검토하고 있으므로 아측제시 이자율도 금년소득을 기준으로 하여 대폭 낮추어 줄것을 요청함

　　나)EDCF 차관의 내국화 비용한도 30%는 요르단 국내업계에 도움이 되도록 높여줄것을 요청함

　　다)걸프만사태로 줄어든 원유사정을 해결키 위해 석유탱크를 대체할 선반구입에 동자금사용을 문의한바 아측은 동차관자금이 원칙상 기간산업건설에 사용되는 점을 강조하면서 요측이 프로젝트 개요를 제출하면 검토 하겠다고 답변함

　　라)요측은 EDCF 차관 대상사업으로 하기 사업을 우선순위별로 제시하였음

　　-아카바항내 석유저장용 탱크역화을 할 10 만본급 중고선 구입(700 만-1000 만불)

　　-암만시 폐수처리장 건설공사(900 만불)

　　-30 메가와트급 개스터빈 제작설치(1500 만불 X2 기)

　　-암만/홍해 고속도로일부 구간 7KM 건설공사(700 만불)

　　마)아측은 상기사업에 대한 상세계획서를 제출하여 공식요청하면 검토의견을 대사관을 통해 보내겠다고 답변함

　　2. 생필품(500 만불)

중아국	장관	차관	1차보	2차보	미주국	경제국	청와대	안기부
경기원	재무부	상공부						

PAGE 1

0077

가)요측은 동자금을 기거래한 L C 베이스 아국상품 수입대금변제에 충당될수 있도록 요청하였으나 아측은 지원취지에 맞지않으며 앞으로의 새로운 정부 L/C 개설에 의한 수입대금 활용문제는 검토해보겠다고 답변함

나)공여대상품으로서는 우선순위별로 설탕(REFINED SUGAR)10-14 만톤(아측제시 품목리스트 13 번,25 인승 미니버스 100 대(42 번), 강관(PIPE AND TUBE, 아측리스트에 없으며 요측이 세부사항 제출예정)의 3 개품목을 지원요청하였으며, 아측은 국내재고여부 및 수송, 보험료등 제반사항을 검토, 외교채널을 통해 통보해주기로 하였음

3. 본조사단은 11.2 시리아로 입국할 예정이며 시리아에서 활동내용은 11.5 이태리 도착후 보고하겠음

(차관-장관)

예고:90.12.31 일반

0078

외 무 부

종   별 : 지 급

번   호 : JOW-0562　　　　　　　　　　일   시 : 90 1102 2030

수   신 : 장 관(마그,미북,통이),사본:상공부

발   신 : 차관(주 요르단 대사 경유)

제   목 : 걸프만 조사단(11-요르단)

　　1. 표제 정부조사단과 요르단 기획부 장관을 수석으로한 요르단측과의 회담에서 요르단측은 양국간 현안으로 되있는 제 3 차 한. 요 공동위 개최문제를 제기한바 아측은 본대표단이 관계부처 고위 실무자로 구성되어 있고 일반적인 양국 쌍무관계 토의도 준비가 되있으므로 본회담을 공동위로 활용할것을 제의 합의하였음

　　2. 동회의에서 제반사항이 논의되었으나 가장 중요한 안건은 요르단의 인광석 및 염화가리의 구입 증대요청인바 이에대해 아측은 정부에서 행정적인 조언을 통하여 요르단측 인광석 수입증대를 적극권장할 것이나 실수요자가 민간회사임에 비추어 수입증량여부는 전적으로 가격과 품질에 딸린것이나 요르단측 요청사항을 성의있게 검토하겠다고 다짐하였음

　　3. HASSAN 왕세자 면담시 참석한 경제부처 장, 차관 및 만찬에 참석한 인광석 및 염화가리 수출 회사 사장들은 본건에 대한 아국정부의 협조를 재차 간곡히 요청하였음

　　4. 현재 요르단은 걸프만 사태로 인하여 가장 피해를 받고있는 국가이며 한국이 각종 재원으로 이들을 원조하고 있는 시점에서 가격, 품질등에서 큰차이가 없는경우 요르단산 인광석을 현 대요르단 원조정신에 준하여 협조하여 줄경우 요르단측은 매우 고마워 할것인바 본건 관계부처에서 긍정적으로 검토해주도록 조치하여 줄것을 건의함

　　5. 본건관련 조사단 대표중 상공부 황두연 상역국장이 요르단측과 개별적인 협의를 갖고 양국교역 증대를 위하여 최대한 노력할것이라고 언급한바 참고바람

　　(차관-장관)

　　예고:90.12.31 일반

예고문에 의거 일반문서로
재분류 19[06 12.31] 서명

중아국 상공부	장관	차관	1차보	2차보	미주국	통상국	청와대	안기부

원 본

외 무 부

관리번호: 80-699

증 별 :

번 호 : TUW-0717

일 시 : 90 1107 1104

수 신 : 장관(경이,미북,마그) 사본:경기원,재무부,상공부

발 신 : 주터키대사

제 목 : 페만사태 지원조사단 보고

1. 정부조사단은 11.6(화) 11:00 주재국 외무성 회의실에서 양측단장 주재하에 실무협의를 가졌는바 (아측 권병현 대사주재, 터키측 RIZA TURMEN 외무성 다자관계 정무국장주재) 터키측은 페만사태에관한 터키의 기본입장은 이라크의쿠웨이트합병 불인정, 쿠웨이트의 주권영토의 조속원상회복, 유엔결의에의한 대이라크 제재조치 철저이행) 및 페만사태로인한 터키의 피해상황을 설명함.

2. 이에 아측은 터키측 입장에 전적으로 동감을 표시하고 금번사태로 아국도피해국임에도 불구하고 전통우방국인 터키에대해 다소나마 도움이 될수있도록 500 만불의 물자와 1,500 만불의 EDCF 자금을 지원코자함을 설명함.

3. 생필품관련, 터키측은 주재국 적십자사가 필요로하는 매트, 앰블란스, 미니버스, FORK LIFT, 발전기, 정수장비, 트럭, 의료기기등을 지원요청하면서 양측 적십자사간 구체 협의를통해 추진할것과 지원금액 일부를 아측 적십자사에서 보관, 부품등 추후 필요한 물자가 지원되기를 희망함.(본건 검토가 요망됨)

4. EDCF 에 대해 아측은 기본조건및 절차를 설명하고 터키측이 적합한 프로젝트를 발굴, 지원신청하면 아측이 검토 지원키로함.

5. 조사단은 예정대로 11.7(수) 당지 출발, 11.8(목) 서울도착 예정임.
(단장 권병현 대사-국장)

예고:90.12.31. 일반샤

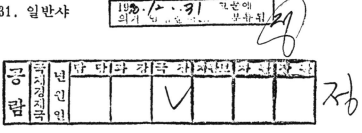

공람	국제경제국	년 인 인	단	단단	강	록	차	재재	과	제제
					V					

장 (사)

경제국	1차보	2차보	미주국	중아국	청와대	경기원	재무부	상공부

PAGE 1

90.11.07   19:24
외신 2과 통제관 BW

0080

페灣분담금 시리아 터키등 5개國 「조건부융자」 現物지원

軍費포함 1億7千萬달러 年內공여

領事관계·未修交국가엔 大使級수교 추진하기로

政府는 지난9월 확정한 페灣사태에 따른 군비지원및 주변국경제지원분담금 2億2千萬달러중 1億7千만달러는 年內에, 5천만달러는 내년중에 지원하려는 내년중에 지원하려는 대상국중 시리아등에는 경제지원의 경우 이를 계기로 경제지원과 외교관계수립을 적극 추진키로했다.

올해 우리 政府가 부담할 분담금 1億7千만달러중 1억달러는 다국적군에 대한 군비지원이, 7천만달러는 이집트 터키 요르단등 주변국에 대한 경제지원에 투입된다.

이와 관련, 柳宗夏외무부차관을 담장으로 경제기획원 재무부 상공부등의 관계자들이 참여한 페灣사태주변지원조사단이 지난달부터 이달초까지 이집트 요르단 시리아 터키등 4개국을 순방, 분담금 제공방법등을 협의했다.

이 조사단에 따르면 이들 나라에 대한 경제지원방식은 일부 무상원조 이외에 韓國産 물자를 외상수매토록하는 타이드론(조건부융자)으로 결정했다.

이에따라 政府는 이들 나라에 〈버스〉트럭등 수송장비 〈1천만달러상당〉의 쌀〈의 생활물품등을 現物로 대체할것이며 國별로 年利 5.5%에 5년거치 20분할상환조건으로 하기로 했다는 것.

또 政府는 올해 부담할 분담금 1억7천만달러중 1억 2천만달러는 2차 추가경정 예산의 예비비에서 확보하고 4천만달러는 행외협력기금에서, 1천만달러는 대외경제에는 동의한 것으로 알려졌다.

2次追更예산안에 페灣사태 2次追更예산에 예비 1천만원을 計上해놓고있다.

한편 政府는 이번 조사단 활동을 통해 정식수교가 체결돼있는 이집트와 未修交상태인 시리아에 대해 大使級 외교관계수립을 위한 정부간 협의를 병행했다.

시리아의 경우 韓國과도 총 영사관 개설수교를 맺고있는데 그러나 우리측은 일본 나라와의 경쟁擴大와 병행, 대삼달수교를 위한 외교노력을 強化할 방침이다.

1990年11月13日　火曜日　【2】

0081

페灣國 지원금제공 계기로

埃·시리아와 修交추진

정부는 페르시아만 사태와 관련, 中東 전선국가에 지원금을 제공하는 것을 계기로 이들중 미수교국인 이집트·시리아와의 수교를 적극 추진할 방침인 것으로 13일 알려졌다.

정부는 또 2억2천만달러로 결정된 우리나라의 페르시아만 분담금가운데 1억7천만달러를 금년내에 제공하되 이중 4억달러는 다국적군에, 7천만달러는 이집트 터키·요르단등 주변 5개국에 지원키로 했다.

정부는 특히 전선국가에 대한 지원방식은 일부 무상원조외에 한국산물자를 외상구매토록 하는 타이드론(조건부융자)으로 결정했다.

0081 -1

걸프湾 事態 関聯国 支援 調査団
巡訪 結果 報告

(1 9 9 0 . 1 0 . 2 7 - 1 1 . 8)

1 9 9 0 . 1 1 . 9

外 務 部

0082

걸프灣事態 周邊被害國 支援問題協議를 위한
政府調査團이 柳宗夏 外務次官을 團長으로 90.10.27-
11.8(12박13일)間 中東地域 關係國을 巡訪하였는바,
同 結果를 아래와 같이 報告합니다.

1. 政府調査団構成

ㅇ 團 長 : 柳宗夏 外務次官

ㅇ 團 員 : 靑瓦台, 外務部, 經濟企劃院, 財務部,
商工部, 安企部 關係官 總8名

2. 訪問対象国 및 期間

ㅇ 이집트 : 10.28-10.31.

ㅇ 요르단 : 10.31-11.2.

ㅇ 시리아 : 11.2-11.5.

ㅇ 터 키 : 11.5-11.7

0083

3. 活動內容

가) 主要人士 面談 및 實務會議

- o 이집트 : 外務長官, 國防長官, 內閣事務 및
  行政開發 國務長官, 外務擔當 國務長官,
  外務次官, 美國大使, 外務部 實務會議,
  國防部 實務會議

- o 요르단 : 하산王世子, 經濟企劃長官, 外務次官,
  外務部 實務會議, 經濟企劃部 實務會議

- o 시리아 : 國防長官, 外務擔當 國務長官, 大統領妻男,
  美國大使

- o 터 키 : 外務部 實務會議

나) 中東情勢에 대한 意見交換

(아래 根據에 依據 11月中 또는 그後 年末 以前
武力行動 可能性 높음을 感知)

- o 이라크의 撤收可能性 극히 稀薄하고 美國의 現地
  戰爭準備 繼續으로 平和기미 薄弱(요르단側 判斷)

- o 아랍人의 反美感情 高潮와 觀光收入等 激減으로
  이집트等 多數國이 早期軍事措置 促求立場이며
  No War No Peace 狀態를 最惡으로 간주.
  但, 親西方 아랍國家들은 이란의 軍事力을 勘案,
  이라크의 軍事力을 完全 破壞하는 것은 反對

0084

ㅇ 美國의 軍事行動 準備 大略完了되었으나 아랍圈의
  軍事行動 參與를 위한 補完作業 특히 Command
  Control, Communication等 作業未盡
  (Clean War를 위한 最終準備作業 進行中)

ㅇ 아랍圈의 政治版圖 큰 變化 豫想(이집트의 입지가
  걸프 地域까지 强化 豫想)

다) 韓半島 情勢説明 및 未修交國과의 修交推進

ㅇ 現 南北對話 進展狀況 및 北韓의 開放을 誘導코자하는
  我國의 基本立場 説明

ㅇ 我國과 蘇聯, 東歐圈 및 多數의 非同盟諸國과의 修交
  現況 説明

ㅇ 上記 韓半島 周邊情勢 變化等에 따른 韓國과 이집트,
  시리아와의 修交 必要性 説明(成果 4項 參照)

라) 걸프灣 事態 關聯 支援問題 協議

ㅇ 支援 計劃 通報

(單 位 : 萬弗)

	軍需物資	生必品	EDCF資金	合 計
이집트	700	800	1,500	3,000
요르단	-	500	1,000	1,500
시리아	600	400	-	1,000
터 키	-	500	1,500	2,000

0085

ㅇ 國別 細部事項 協議를 위한 實務會議 開催
  - 具體的 支援品目에 대한 意見 交換
  - EDCF 資金 使用 事業計劃書 追後 提出合意
  - 但 시리아는 美國을 위시한 Coordinating
    Committee와 關係上 我國과의 協議를 保留
    要請함. (시리아는 걸프만 軍事 寄與에도 不拘,
    前線國家 援助에 不包含 된데 대하여 強力한
    不滿. 我國과만 協議도 당분간 保留)

4. 成   果

ㅇ 걸프地域 平和回復을 위한 國際的 努力에의 同參
  意志誇示 및 獨自的 中東外交 推進

ㅇ 我國의 前線國家 支援 意志 傳達

ㅇ 未修交國인 이집트, 시리아와의 修交 雰圍氣 造成
  - 이집트 : 外務長官, 國務長官等이 好意的 反應,
           亞洲局長은 앞으로 6個月以內 修交
           可能性 言及. (但 本件關聯 무바락
           大統領에 直接 影響力 行使 必要)
  - 시리아 : 금번 訪問契機 修交 推進을 위한 基盤
           造成한바, 二人者인 시리아 國防長官等이
           修交 推進을 위해 努力中이며 我國의
           立場도 充分히 시리아 外務部(國務長官) 에
           傳達(시리아와의 關係改善은 現在 레바논
           事態 위요 相互 미묘한 關係에 있는
           시리아와 美國과의 關係와 直接的인
           函數 關係에 있음을 確認)

0086

o 當事國들과의 雙務的 友好協力關係 强化

  - 요르단 및 터키, 我國의 유엔加入支持等 我國에
    대한 積極的인 友好增進 表明

  - 이집트도 我國의 유엔가입 및 IAEA의 對北韓
    核安全處理協定 加入 促求 支持

  - 시리아와는 主要人士 接触하여 修交問題와 별도로
    親善 强化

5. 後續推進 計劃

o 外交채널을 통해 具體的인 支援品目 確定 및 早速
  送付

o 品目은 일회용 소모품보다 長期的 안목에서 建設裝備,
  차량등 내구성 중장비류 重点 支援

o 금번 訪問을 基盤으로하여 이집트, 시리아와의
  早速한 時日內 修交 妥結위해 積極 努力

o 對시리아 支援金은 시리아側 檢討後 再協議하되
  狀況에 따라 來年度로 移越

                                          끝.

                                    0087

Ⅱ. 주요협의사항 및 성과

1. 걸프만사태에 관한 입장

2. 경제지원 협의결과

3. 한반도 정세설명 및 수교추진

4. 성과 및 의의

5. 후속조치사항

0088

Ⅱ. 주요협의사항

1. 걸프만 사태에 관한 입장

가) 아국입장 전달

○ 무력에 의한 타국 영토점령 반대 및 국제분쟁의 평화적 해결 입장

○ 이라크의 쿠웨이트 침공규탄, 병합반대, 철군촉구

○ 유엔의 대 이라크 제재결의 지지 및 준수

나) 이집트 입장 청취

○ 이라크의 철군 가능성 희박, 군사행동 불가피

○ 걸프만 사태와 팔레스타인 문제의 연계반대

○ 이란에 의한 중동균형교란을 우려 적절한 수준으로만 이라크 군사력 축소 필요

다) 요르단 입장 청취

○ 요르단의 평화적 중재노력이 이중외교로 오해받는데 불만

○ 걸프만 사태와 팔레스타인 문제 연계해결 주장

○ 대이라크 군사행동반대 및 평화적 협상주장

라) 시리아 입장 청취

○ 걸프만 사태 자체에 대한 평가나 입장표명 별무

○ 단, 대이라크 조치에서의 시리아의 역할에도 불구 서방측의 지원이 없는데 불만

마) 터키 입장 청취

○ 이라크의 쿠웨이트 병합 반대, 이라크군의 무조건 철수

○ 쿠웨이트의 주권과 영토보전 회복 및 정통 합법정부의 재건 지지

○ 군사행동보다는 대이라크 경제재제 조치의 철저이행을 통한 사태 해결 기대

0089

바) 걸프만 사태에 대한 추후전망

(이집트, 요르단의 주요인사 및 현지주재 미국대사 접촉결과 아래
근거에 의거 무력행동 가능성 높음을 감지)

- 이라크의 철수가능성 희박 및 미국의 현지 전쟁준비 계속으로
  평화기미 박약

- 아랍인의 반미감정 고조 우려와 경제적 손실점등으로 No War No
  Peace 상태를 최악으로 간주, 이집트등 다수국 조기군사조치 촉구
  입장

- 미국의 군사행동 준비 대략완료되었으나 아랍권의 군사행동 참여
  위한 보완작업, 특히 Command, Control, Communication 등 작업
  미진하여 Clean War 를 위한 최종 준비작업 진행중

- 이란에 의한 중동균형 교란을 우려 이라크 군사력의 완전파괴는
  원치않으나 추후 이집트의 입지가 걸프지역까지 강화되는등
  아랍권의 정치판도 큰 변화예상

2. 경제지원 협의결과

가) 이집트

(1) 다국적군 지원경비(700만불)

- 10.29. 이집트 국방부 실무회의시 이집트측 제시 검토희망품목

  - 앰블런스   (리스트 40번)
  - 12인승 미니버스 (〃   41번)
  - 25인승 미니버스 (〃   42번)
  - 기 중 기   (〃   44번)
  - 적 재 기   (〃   46번)
  - 불 도 저   (〃   47번)
  - 트   럭   (〃   52번)
  - 카고트럭   (〃   53번)
  - 의료기기   (〃   62번)
  - 군   복   (〃   63번)
  - 침투보호의   (〃   83번)
  - 방독면

0090

ㅇ 아측 조치할사항 : 상기 품목에 대한 카탈로그, 가격, 설명서등
　　　　　　　　　　　　상세자료 송부

(2) 일반생필품(800만불)

ㅇ 10.30. 이집트 외무부 실무회의결과, 수원계획협의위한 15개
　부처간 위원회에서 종합적인 검토후 아측에 희망품목 통보예정

(3) EDCF 자금(1500만불)

ㅇ 10.30. 이집트 외무부 실무회의결과 15개부처간 위원회 검토후
　사업계획서 제출예정

나) 요르단

(11.2. 요르단 경제기획부 회의결과)

(1) 일반생필품 (500만불)

ㅇ 요르단측, 기거래한 L/C 베이스 아국상품 수입 대금변제에
　충당될수 있도록 요청

ㅇ 아측, 동건지원 취지에 맞지않으며 앞으로의 새로운 정부 L/C
　개설에 의한 수입대금 활용문제는 검토해보겠다고 답변

ㅇ 요르단측 하기물품 제시 및 상세자료 요청

　- 설탕 14,000톤 　(리스트 13번)

　- 25인승 미니버스 (　〃 　42번)

　- pipe and tube 　(리스트에 없음)

(2) EDCF 자금(1000만불)

ㅇ 요르단측, 아측제시 이자율(국민소득기준 4.2%)은 금년 소득을
　기준으로 대폭 낮추어줄것 요청

ㅇ EDCF 차관의 내국화 비용한도 30%는 요르단 국내업계에 도움이
　되도록 높여줄것 요청

0091

ㅇ 아울러 대상사업으로 하기사업 우선순위별 제시

  - 아카바항내 석유저장용 10만톤급 중고선 구입(700-1000만불)

  - 암만시 폐수처리장 건설공사(900만불)

  - 30메가와트급 개스터빈 제작설치(1500만불 X 2기)

  - 암만/홍해 고속도로 일부 구간 7Km 건설공사(700만불)

ㅇ 아측은 상기사업에 대한 상세계획서를 제출하여 공식요청하면
  검토의견을 대사관을 통해 보내겠다고 답변

다) 시리아

(11.5. 시리아 외무담당 국무장관과의 면담시 입장)

ㅇ 미국을 위시한 Coordinating Committee 와의 관계상 아국과의
  협의 보류입장

ㅇ 시리아의 걸프만사태 군사기여에도 불구, 전선국가 원조에
  불포함된데에 대한 강력한 불만표시

ㅇ 대 시리아 지원금 1000만불은 시리아측 검토후 재협의하되 상황에
  따라 내년도로 이월

라) 터 키

(11.6. 터키 외무부 실무회의 결과)

(1) 일반 생필품(500만불)

ㅇ 난민구호를 위해 터키 적십자사가 필요로하는 하기물품제시

  - 매   트 (리스트 30번)

  - 앰블런스 (″ 40번)

  - 미니버스 (″ 41번)

  - 기 중 기 (″ 44번)

  - 발 전 기 (″ 48번)

  - 정수장비 (″ 50번)

  - 트   럭 (″ 52번)

  - 의 료 기 (″ 62번)

0092

o 동건 구체적 추진은 양측 적십자사간 협의를 통할것과 지원
  금액 일부를 아측 적십자사에서 보관, 부품등 추후 필요한
  물자가 지원되기를 희망

(2) EDCF 자금 (1500만불)

o 아측, 터키는 년이율 4.2%, 5년거쳐 20년 상환조건임과,
  원칙상 프로젝트 차관임에도 불구 장비구입에도 사용될수
  있음을 설명

o 터키측, 단순한 경상수지 개선보다 터키산업의 구조적
  개선을 위한 사업에 사용해야 할것이며, 사업계획서등
  추후 공관통해 재협의 예정

3. 한반도 정세설명 및 수교추진

가) 아측 설명내용

o 아국과 소련, 동구권 및 대다수 비동맹 제국과의 관계증진현황 설명

o 소련의 대북한 지원감소에 따른 북한의 경제난과 이에따른 북한의
  불가피한 대외정책변화 월맹(대일 수교제의등)

o 총리회담등 남북대화 진전현황과 북한의 개방을 유도코자하는
  아국 입장설명

o 이러한 한반도 정세변화와 한국과 이집트, 시리아와의 실질협력
  관계 강화를 위해 정식국교관계 수립의 긴요성 설득

나) 이집트측 반응

(1) 반응

o 대표단장인 유중하 외무차관이 면담한 이집트 외무장관을
  비롯한 모든 요인들, 한·이집트 수교에 낙관한 전망

o 특히 금번 한국의 지원과 남북한 화해분위기는 양국관계
  정상화에 큰 기여 예상

o 아주국장은 앞으로 6개월 이내 수교 가능성 언급

0093

(2) 분석 및 전망

　　o 이집트 정부내에서의 대한 수교필요성은 충분히 성숙

　　o 단, 무바락 대통령의 개인적인 대북한 친분이 장애

　　o 그러나 적당한 계기를 보아 1991년중 타결시키려는 인상

다) 시리아측 반응

(1) 반 응

　　o 시리아 국방장관 및 대통령처남, 양국수교지지 및 적극 협조
　　　약속

　　o 외무담당 국무장관, 아측 지원에 사의표명하면서 양국경제
　　　관계 증대후 수교강조

(2) 분석 및 전망

　　o 시리아와의 관계개선은 시리아와 미국간의 관계와 합수관계에
　　　있음을 확인

　　o 최근 레바논 사태를 위요하고 미국과 시리아가 미묘한 관계에
　　　있어 이에 많은 영향을 받을것으로 예상

4. 성과 및 의의

가) 아국의 전선국가 지원의지 전달

　　o 걸프지역 평화회복을 위한 국제적 노력에의 동참의지 과시 및
　　　독자적 대중동 외교추진

　　o 아국 역사상 최초로 대규모의 해외원조 제공을 위한 정부조사단
　　　파견이라는 점에서 큰 의의

　　o 국제평화와 질서의 회복을 위한 다자간 협력체제에 아국이 주요
　　　기여국의 하나로서 행동개시했다는 점에서 역사적인 의미

0094

나) 미수교국과의 수교분위기 강화

- ㅇ 급번 지원을 계기로 이집트와의 우의를 더욱 돈독히 하여 앞으로 수교를 추진하는데 큰 기여
  - 이집트는 아국의 유엔가입 및 IAEA 의 대북한 핵안전처리협정 가입 촉구 지지
  - 1991년중 수교가능전망
- ㅇ 시리아와는 아국의 수교희망과 협력의사를 강력히 전달하여 추후 수교교섭의 기반조성
  - 제2인자인 시리아 국방장관의 수교추진 협조 확약
  - 외무부 고위관리간 최초의 접촉실현 및 친분강화

5. 후속조치사항

- ㅇ 외교채널을 통해 구체적인 지원품목 확정 및 물품 조속 송부
- ㅇ 품목은 일회용 소모품보다 장기적 안목에서 건설장비, 차량등 내구성 중장비류 중점 지원
- ㅇ EDCF 자금 사용계획서 접수후 조속 검토 및 시행
- ㅇ 급번 방문을 기반으로하여 이집트, 시리아와의 조속한 시일내 수교 타결위해 적극 노력
- ㅇ 대시리아 지원금은 시리아측 검토후 재협의하되 상황에 따라 내년도로 이월

0095

걸프만사태 관련 정부조사단
후속 조치사항

I. 지원관계

1. 물품지원(군수용 및 생필품)

가) 이집트 국방부 희망품목(12개)

- 카탈로그, 사진, 가격등 상세설명서 송부(11.3)

나) 요르단 희망품목(3개) 및 터키 희망품목(8개)

- 상공부에서 지원안 및 자료 제출 예정
- 현재 상공부에 독촉중
- 요르단측 요청 설탕에 대해서는 문의에 따라 가격조건 통보

다) 이집트 외무부 제출예정 희망품목

- 현재 이집트측 희망사항 대기중
- 독촉전보 타전(11.20)

라) 모로코에 지원가능 품목리스트 송부 및 희망품목 문의(10.27)

- 모로코 외무차관 사의표명 및 관계부처 협의후 희망품목 제시
  예정

2. EDCF 자금관계

- 이집트, 요르단, 터키 모두 계획서 미제출
- 독촉전보타전 (11.20)

0096

Ⅱ. 대 이집트·시리아 수교문제

1. 이집트

 ㅇ 11.16. 주 미 대사에 지시

  - Baker-Mwuarak 면담시 한·애 수교문제 거론여부 파악지시

  - Bush 대통령 이집트 방문시 동건 제시 협조요청에 대한 의견
    문의

 ㅇ 주 미 대사 보고(11.17)

  - Baker 장관 면담시 시간제약상 제기못함.

  - Bush 대통령의 짧은 카이로방문 일정상 급번 제기보다 미측이
    동건 계속유념, 적절한 기회에 제기하겠다고 약속

2. 시리아

 ㅇ 11.16. 주 미 대사에 시리아 외무담당 국무장관과의 면담내용 통보

  - 지원문제에 대한 시리아측의 대미불만

  - 아측지원제의 및 수교문제에 대한 시리아측 입장

 ㅇ 11.17. 주 카이로 총영사에 통보

  - 시리아 방문내용 통보

  - 수교문제 협조부탁을 검토키위해 주이집트 시리아 대사의 영향력등
    파악지시

0097

Ⅲ. 행정사항

○ 조사단 활동결과 청와대 보고

○ 조사단 활동보고책자 배포

○ 외무차관 면담자들에 대한 서한발송 준비
   - 이집트 6명
   - 요르단 4명
   - 시리아 6명

○ 조사단 해단식 및 대책회의 준비
   - 11.24.(토) 13:00 예정

0098

報告資料 90-65(마그)

管理
番號

걸프灣 事態 關聯 被害國 支援 協議 政府調査團 巡訪 報告

1990. 10. 27-11. 8
(이집트, 요르단, 시리아, 터키)

外 務 部
中東아프리카局

0099

報告資料 90－65(마그)

管理
番號

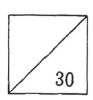

30

걸프灣 事態 關聯 被害國 支援 協議 政府調査團 巡訪 報告
(團長 : 柳宗夏 外務次官)

1990. 10. 27－11. 8
(이집트, 요르단, 시리아, 터키)

外 務 部
中東아프리카局

0100

目　　　次

95 - 1

0101

95 － 2

0102

I. 調査團 構成 및 主要日程

95 - 3

0103

Ⅰ. 調査團構成 및 主要日程

1. 政府 調査團

團　長 : 柳宗夏　外務次官

團　員 : 李哲守　經濟企劃院　豫算局長

　　　　 李廷甫　財務部　經濟協力局長

　　　　 黃斗淵　商工部　商易局長

　　　　 李民宰　靑瓦臺　外交安保補佐官室

　　　　 ██████████████████████

　　　　 申國昊　外務部　마그레브課長

　　　　 申珏秀　外務部　次官補佐官

　　　　 鄭鏞七　外務部　經濟協力 2 課　事務官

＊ 　權丙鉉　外務部　本部大使

　　　（ 터키　訪問時　團長代行 ）

95 — 5

0104

2. 主要日程

10. 27 (土)   서울出發

가) 이집트 (10. 28 — 10. 31)

10. 28 (日)   카이로 到着

       (空港迎接)   Youssef Sharara 外務次官

                     Ahmed Mekki   亞洲局長

10. 29 (月)   Abu Taleb 國防長官 面談

       (我側陪席)   全代表團員 및 駐카이로 總領事

       (이집트側)   Saleh Haleby   軍需調達 本部長

                 El-Ghamawi Dawood 軍需調達 參謀

                 Hitler Tantawi   作戰參謀 本部長

                 Raaft Taha   陸軍 准將

      國防部 實務會議

      (我側參席)   李哲守 經企院 豫算局長

                 李廷甫 財務部 經協局長

                 黃斗淵 商工部 商易局長

                 其他 全代表團員

95 — 6

0105

（이집트側） Dawood   軍需調達參謀

其他 이집트側 關係官

Boutros Ghali 外務擔當 國務長官 面談

（我側陪席） 朴東淳 總領事

申國昊 課長

申珏秀 補佐官

（이집트側） Ahmed Mekki 亞洲局長

外務擔當國務長官 補佐官

10. 30（火） Frank Wisner 駐이집트 美國大使 面談（朝餐）

外務部 實務會議

（我側參席） 團長 및 全代表團員

（이집트側） Youssef Sharara 外務次官

亞洲局長, 國際機構局長, 經濟局長,

其他 外務部 關係官들 數名

Ahmed Meguid 外務長官 面談

（我側陪席） 朴總領事, 申課長, 申補佐官, 鄭事務官

（이집트側） Sharara 外務次官, Mekki 亞洲局長

95 — 7

0106

Atef Ebeid 　內閣事務및行政開發 　國務長官 　面談

（我側陪席） 　外務長官 　面談時 　陪席者

（이집트側） 　亞洲局長, 長官補佐官

10. 31（水） 　카이로 　出發

나）요르단（ 10. 31 － 11. 2 ）

10. 31（水） 　암만到着

（空港迎接） 　Mutasem Bilbeisi 　外務次官

　　　　　　　Shaker Arafiat 　　亞洲局長

Khalid Abdellah 　經濟企劃部長官 　面談 　및

經濟企劃部 　實務會議（支援問題協議）

（我側參席） 　團長 　및 　全代表團員

　　　　　　朴泰瑠大使 　및 　金均參事官

（요르단側） 　Khalid Abdellah 　企劃部 　長官

　　　　　　Zofwan Tougan 　　企劃部 　次官

　　　　　　Nabid Sueis 　　　企劃部 　次官補

95 － 8

0107

Mustafa Zahran   企劃部   生產事業局長

Dolus Kefaya   企劃部   基幹産業局長

Mustafa Saleh   企劃部   兩者協力課長

<u>Mutasem Bilbeisi 外務次官 面談 및</u>

<u>外務部 實務會議 (걸프灣事態 意見交換)</u>

（我側參席） 國長, 朴大使, 申課長, 金參事官

（요르단側） Mutasem Bilbeisi   外務次官

            Khalid Obeidat   外務部   政務局長

            Khalil Othman   外務部   國機局長

            Shaker Arafiat   外務部   亞洲局長

            Mohamed Dahe   外務部   亞洲課長

<u>Hassan 王世子 禮訪</u>

（我側陪席） 朴大使, 申課長, 金參事官

（요르단側） Ziad Fariz   商工部長官

            Zafwan Tougan   企劃部次官

            Ahmed Mango   王世子 經濟諮問官

            Awn Al-Khasawneh   王世子 法律諮問官

95 - 9

0108

11. 2（金）　　요르단　出發

다) 시리아（ 11. 2 ─ 11. 5 ）

11. 2（金）　　다마스커스　到着

（空港迎接）　Othman　國防長官　秘書室長〔准將〕

Marwan Esreb　社長　主催　晚餐

11. 3（土）　　Mustafa Tlas　國防長官　面談

（我側陪席）　申課長, 金參事官

（시리아側）　Bassel Esreb 社長

Mohamed Makhouf　大統領　妻男　面談

（我側陪席）　金參事官

11. 4（日）　　美國大使　面談

Mustafa Tlas　國防長官　主催　晚餐

（我側參席）團長　및　經企院　李局長,

財務部　李局長, 商工部　黃局長

95 ─ 10

0109

11. 5（月）　<u>外務擔當　國務長官　面談</u>

　　　　　　　　（我側陪席）　申課長，金參事官

　　　　　　　　（시리아側）　Abdul Atass　亞洲局長

　　　　　　<u>시리아　出發</u>

라) 터　키（ 11. 5 ― 11. 6 ）

11. 5（月）　<u>앙카라　到着</u>

11. 6（火）　<u>外務部　實務會議</u>

　　　　　　　　（我側參席）　團長代行　權丙鉉　大使　및

　　　　　　　　　　　　　　　全代表團員

　　　　　　　　　　　　　　　金乃誠大使　및　閔丙奎參事官

　　　　　　　　（터 키 側）　Riza Türmen　　外務部　政務局長

　　　　　　　　　　　　　　　Terfik Okyayüz　外務部　中東課長

　　　　　　　　　　　　　　　Burham Ant　　　外務部　걸프地域課長

　　　　　　　　　　　　　　　Yahya Akkurt　　外務部　亞洲課長代理

95 ― 11

0110

11. 7 (水)   터키   出發

11. 8 (木)   서울   到着

95 — 12

0111

Ⅱ. 主要協議事項 및 成果

Ⅱ. 主要協議事項 및 成果

1. 걸프灣 事態에 관한 立場

가) 我國立場 傳達

- 武力에 의한 他國領土占領 反對 및 國際紛爭의 平和的解決 支持
- 이라크의 쿠웨이트 侵攻糾彈, 併合反對, 撤軍促求
- 유엔의 對 이라크 制裁決議 支持 및 遵守

나) 이집트 立場 聽取

- 이라크의 撤軍 可能性 稀薄, 軍事行動 不可避
- 걸프灣 事態와 팔레스타인 問題의 連繫反對
- 이란에 의한 中東均衡 攪亂을 憂慮 適切한 水準으로만 이라크 軍事力 縮少 必要

95 - 15

0113

다) 요르단 立場 聽取

o 요르단의 平和的 仲裁努力이 二重外交로 誤解받는데 不滿

o 걸프灣 事態와 팔레스타인 問題 連繫解決 主張

o 對이라크 軍事行動 反對 및 平和的 協商 主張

라) 시리아 立場 聽取

o 걸프灣 事態 自體에 對한 評價나 立場 表明 別無

o 但, 對이라크 措置에서의 시리아의 役割에도 不拘 西方側의
   支援이 없는데 不滿

마) 터키 立場 聽取

o 이라크의 쿠웨이트 倂合 反對, 이라크軍의 無條件 撤收主張

o 쿠웨이트의 主權과 領土保全 回復 및 正統 合法政府의
   再建 支持

o 軍事行動보다는 對이라크 經濟 制裁 措置의 徹底履行을
   통한 事態 解決 期待

95 - 16

0114

바) 걸프灣 事態에 대한 追後展望

(이집트, 요르단의 主要人士 및 現地駐在 美國大使 接觸結果 아래 根據에 依據 武力行動 可能性 높음을 感知)

o 이라크의 撤收可能性 稀薄 및 美國의 現地 戰爭準備 繼續으로 平和機微 薄弱

o 아랍인의 反美感情 高潮 憂慮와 經濟的 損失漸騰으로 No War No Peace 狀態를 最惡으로 看做, 이집트등 周邊國 早期軍事 措置 促求 立場

o 美國의 軍事行動 準備 大略 完了되었으나 아랍圈의 軍事行動 參與 爲한 補完作業, 특히 Command Control, Communication 등 作業 未盡하여 Clean War를 위한 最終 準備作業 進行中

o 이란에 의한 中東均衡 攪亂을 憂慮 이라크 軍事力의 完全破壞는 원치않음. 追後 이집트의 立地가 걸프地域까지 强化되는 등 아랍圈의 政治版圖 큰 變化 豫想

95 ― 17

0115

2. 經濟支援 協議結果

가) 이집트

(1) 多國籍軍 支援經費 (700 万弗)

ㅇ 10. 29. 이집트 國防部 實務會議時 이집트側 提示 檢討希望品目

- 앰블런스   (리스트 40 번)
- 12人乘 미니버스 (〃   41 번)
- 25人乘 미니버스 (〃   42 번)
- 起重機   (〃   44 번)
- 積載機   (〃   46 번)
- 불도저   (〃   47 번)
- 트 .럭   (〃   52 번)
- 카고트럭   (〃   53 번)
- 醫療器機   (〃   62 번)
- 軍 服   (〃   63 번)
- 浸透保護衣   (〃   83 번)
- 防毒面   (리스트에 없음)

95 - 18

0116

○　我側　措置할　事項：上記　品目에　대한　카탈로그, 價格, 說明書

　　　　等　詳細資料　送付

(2)　一般生必品（ 800 万弗 ）

○　10. 30　이집트　外務部　實務會議　結果, 受援計劃協議　위한

　　15個　部處間　委員會에서　綜合的인　檢討後　我側에　希望品目

　　通報　豫定

(3)　EDCF　資金（ 1500 万弗 ）

○　10. 30　이집트　外務部　實務會議　結果　15個　部處間　委員會

　　檢討後　事業計劃書　提出　豫定

나) 요르단

（ 11. 2　요르단　經濟企劃部　會議　結果 ）

(1)　一般生必品（ 500 万弗 ）

○　요르단側, 旣去來한　L/C베이스　我國　商品　輸入　代金辨濟에

　　充當될　수　있도록　要請

○　我側, 同件　支援　趣旨에　맞지　않으며　앞으로의　새로운　政府

　　L/C　開設에　의한　輸入代金　活用問題는　檢討해　보겠다고

　　答辯

95 － 19

0117

o 요르단側 下記物品 提示 및 詳細資料 要請

 — 설탕 14,000屯 （리스트 13번）

 — 25人乘 미니버스（ 〃 42번）

 — pipe and tube （리스트에 없음）

(2) EDCF 資金（ 1000万弗）

o 요르단側, 我側提示 利子率（國民所得基準 4.2％）은 今年
   所得을 基準으로 大幅 낮추어줄것 要請

o EDCF 借款의 內國貨 費用限度 30％는 요르단 國內業界에
   도움이 되도록 높여줄것 要請

o 아울러 對象事業으로 下記事業 優先 順位別 提示

 — 아카바港內 石油貯藏用 10万屯級 中古船 購入（700-1000萬弗）

 — 암만市 廢水處理場 建設工事（ 900万弗）

 — 30메가와트級 개스터빈 製作 設置（ 1500万弗×2機）

 — 암만／紅海 高速道路 一部 區間 7㎞ 建設工事（ 700万弗）

o 我側은 上記 事業에 對한 詳細計劃書를 提出하여 公式 要請
   하면 檢討意見을 大使館을 통해 보내겠다고 答辯

95 － 20

0118

다) 시리아

(11. 5   시리아   外務擔當   國務長官과의   面談時   立場)

o 美國을   爲始한   Coordinating Committee와의   關係上
   我國과의   協議   保留   立場

o 시리아의   걸프灣   事態   軍事寄與에도   不拘, 前線國家   援助에
   不包含된데에   대한   强力한   不滿   表示

o 對   시리아   支援金   1000万弗은   시리아側   檢討後   再協議하되
   狀況에   따라   來年度로   移越

라) 터 키

(11. 6   터키   外務部   實務會議   結果)

(1) 一般   生必品 (500万弗)

o 難民救護를   위해   터키   赤十字社가   必要로   하는   下記
   物品   提示

 — 매   트 (리스트   30번)

 — 앰블런스 (〃   40번)

 — 미니버스 (〃   41번)

95 — 21

0119

- 起重機(리스트 44번)

- 發電機(〃 48번)

- 淨水裝備(〃 50번)

- 트 럭(〃 52번)

- 醫療器(〃 62번)

○ 同件 具體的 推進은 兩側 赤十字社間 協議를 통할 것과

支援金額 一部를 我側 赤十字社에서 保管, 部品등 追後

必要한 物資가 支援되기를 希望

(2) EDCF 資金(1500万弗)

○ 我側, 터키는 年利率 4.2%, 5년据置 20년 償還條件임과,

原則上 프로젝트 借款임에도 不拘 裝備購入에도 使用될 수

있음을 說明

○ 터키側, 單純한 經常收支 改善보다 터키産業의 構造的 改善을

위한 事業에 使用해야 할것이며, 事業計劃書등 追後 公館 통해

再協議 豫定

95 - 22

0120

3. 韓半島 情勢說明 및 修交推進

가) 我側 說明內容

○ 我國과 蘇聯, 東歐圈 및 大多數 非同盟 諸國과의 關係增進 現況 說明

○ 蘇聯의 對北韓 支援 減少에 따른 北韓의 經濟難과 이에따른 北韓의 不可避한 對外政策 變化 說明(對日 修交 提議등)

○ 總理會談등 南北對話 進展現況과 北韓의 開放을 誘導코자하는 我國 立場 說明

○ 이러한 韓半島 情勢變化와 韓國과 이집트, 시리아와의 實質協力 關係 强化를 위해 正式國交關係 樹立의 緊要性 說得

나) 이집트側 反應

(1) 反應

○ 代表團長인 柳宗夏 外務次官이 面談한 이집트 外務長官을 비롯한 모든 要人들, 韓·이집트 修交에 樂觀的인 展望

○ 특히 금번 韓國의 支援과 南北韓 和解雰圍氣는 兩國關係 正常化에 큰 寄與 豫想

95 - 23

0121

o 亞洲局長은 앞으로 6個月 以內 修交 可能性 言及

(2) 分析 및 展望

o 이집트 政府內에서의 對韓 修交 必要性은 充分히 成熟

o 但, 무바락 大統領의 個人的인 對北韓 親分이 障碍

o 그러나 적당한 契機를 보아 1991년중 妥結시키려는
  인상

다) 시리아側 反應

(1) 反應

o 시리아 國防長官 및 大統領 妻男, 兩國修交 支持 및
  積極 協助 約束

o 外務擔當 國務長官, 我側 支援에 謝意表明하면서 兩國
  經濟關係 增大後 修交 强調

(2) 分析 및 展望

o 시리아와의 關係改善은 시리아와 美國間의 關係와 函數
  關係에 있음을 確認

o 최근 레바논事態를 圍繞하고 美國과 시리아가 微妙한
  關係에 있어 이에 많은 影響을 받을 것으로 豫想

95 – 24

0122

4. 成果 및 意義

가) 我國의 前線國家 支援意志 傳達

o 걸프地域 平和 回復을 위한 國際的 努力에의 同參意志 誇示
및 獨自的 對中東 外交 推進

o 我國 歷史上 最初로 大規模의 海外援助 提供을 위한 政府
調査團 派遣이라는 점에서 큰 意義

o 國際平和와 秩序의 回復을 위한 多者間 協力體制에 我國이
主要 寄與國의 하나로서 行動開始했다는 점에서 歷史的인
意味

나) 未修交國과의 修交雰圍氣 强化

o 今番 支援을 契機로 이집트와의 友誼를 더욱 敦篤히 하여
앞으로 修交를 推進하는데 큰 寄與

— 이집트는 我國의 유엔加入 및 IAEA의 對北韓 核安全處理
協定 加入 促求 支持

95 - 25

0123

－　1991년중　修交可能　展望

o　시리아와는　我國의　修交　希望과　協力　意思를　强力히

傳達하여　追後　修交交涉의　基盤　造成

－　第2人者인　시리아　國防長官의　修交推進　協助　確約

－　外務部　高位官吏間　最初의　接觸實現　및　親分　强化

5. 後續　措置事項

o　外交채널을　통해　具體的인　支援品目　確定　및　物品　早速

送付

o　品目은　一回用　消耗品보다　長期的　眼目에서　建設裝備,　車輛등

耐久性　重裝備類　重點　支援

o　EDCF　資金　使用計劃書　接受後　早速　檢討　및　施行

o　今番　訪問을　基盤으로하여　이집트,　시리아와의　早速한　時日內

修交　妥結　위해　積極　努力

o　對시리아　支援金은　시리아側　檢討後　再協議하되　狀況에　따라

來年度로　移越

95 － 26

0124

Ⅲ. 詳細面談內容 및 分析

95 - 27

Ⅲ. 詳細面談 內容 및 分析

（團長의 主要人士 面談內容）

1. 걸프灣 事態에 관한 意見交換

가) 我國立場 說明

○ 我國은 모든 國際紛爭이 武力에 의해서가 아니라 平和的인 方法을 通하여 解決되어야 하며 强大國이 武力에 의하여 弱小國을 侵略, 領土를 獲得하는 行爲는 容納될 수 없고 國際 法上 正當化될 수 없다는 立場임.

○ 今番 이라크의 武力에 의한 쿠웨이트 侵攻 및 倂合은 쿠웨이트의 主權과 領土保全에 대한 重大한 侵害인바, 我國政府는 同 行爲를 糾彈하고 이라크軍이 쿠웨이트 領土로부터 無條件 早速 撤收할 것을 促求한바 있음.

○ 我國은 今番 걸프灣 事態에 관한 유엔의 決議, 특히 이라크의 쿠웨이트 倂合 無效와 經濟制裁 決議를 支持하고 이를 遵守하고 있음.

95 — 29

0126

나) 이집트側　說明

o　이라크의　쿠웨이트　撤軍可能性은　稀薄하고　平和的　解決　可能性도　制約되어있는바, 今番　事態로　因한　各種　損失을　早期에　막고　아랍圈內에서　澎湃할　수　있는　親후세인　雰圍氣　擴散을　막기　위해　可及的　빠른　時日內　軍事行動이　必要하다고　봄.

o　現在　아랍圈　一部에서　對이라크　妥協可能性에　對한　報道가　있으나　侵略에　대한　妥協이　許容될　수　없는　만큼　平和的　解決方案은　매우　制約되어　있고　軍事行動이　不可避한　展望임.

o　最惡의　경우는　戰爭도　아니고　平和도　아닌　現狀態가　長期間　持續되는　것인바　이렇게　될　경우　아랍圈　內部에서　反美感情이　擴散되고　各種　中東問題의　相互連繫　主張들이　나와　混亂이　加重될　것임.

o　이라크는　쿠웨이트　撤收問題와　이스라엘, 팔레스타인　問題를　連繫시키고자　하고　있으나　이　두가지는　별개의　問題이며　이라크軍의　無條件　撤收　原則에　위배되고　混亂만을　加重시키므로　贊成할　수　없음. 이러한　連繫試圖로　가장　犧牲당하는　쪽은　팔레스타인　人들인바　팔레스타인　問題는　이라크軍이　먼저　撤收한　뒤에　擧論해야　함.

95 - 30

0127

o 이집트로서는 사담 후세인의 除去만으로서는 滿足할 수 없고 이라크의 戰力을 縮小시키는 것이 必要하나 만약에 이라크의 軍事力을 지나치게 破壞시키는 경우 長期的으로 이란에 의한 對아랍 優位를 가져와 中東의 均衡을 깰 危險性이 있으므로 適切한 水準에서 이라크 戰力을 保存시키기를 希望하고 있음.

다) 요르단側 說明

o 事態初期 아랍聯盟內에서의 요르단의 平和的 努力을 이라크의 代辯者 또는 二重的 立場으로 美國 및 一部 아랍國家가 誤解하고 있는것은 매우 不當함.

o 요르단은 포클랜드 事態等에서도 그랬거니와 武力에 의한 他國 領土 强占에 反對하는 立場을 오래전부터 堅持해오고 있으며 今番 걸프灣 事態에 관한 유엔決議를 尊重하고 對이라크 制裁에 參與하고 있어 요르단이 道德的으로 非難받을 理由는 없음.

o 후세인 國王은 平和回復을 위한 仲裁에 많은 努力을 기울이고 있으며 現事態 解決을 위해 合理的인 提案을 한바 있음.
(對이라크 武力行動 自制한다는 保障下에 이라크軍과 外國軍의

95 - 31

0128

撤收 및 아랍軍에 의한 代替）

o 客觀的인 側面에서 팔레스타인 問題로 因한 對이스라엘 制裁와 今番의 對이라크 制裁措置를 比較할때 유엔과 美國 및 西方側이 公正性을 잃고 있으며 팔레스타인 問題와 걸프灣 事態는 서로 連繫시켜 同時에 解決되도록 해야함.

o 特히 最近 이스라엘軍의 예루살렘 民間人들 충격살해 事件에 대한 유엔의 立場（Condemn 用語대신 Deplore 라고 한 점）은 더욱 公正치 못하며 美國의 걸프灣 政策이 戰爭一邊倒의 攻勢的인 雰圍氣를 몰고나오는 것은 매우 憂慮되며 이러한 美國의 諸般 政策 方向으로 보아 11月을 中心으로 軍事行動이 開始되지 않을까 걱정됨.

o 美國은 아카바灣 封鎖 및 이의 執行過程에서도 公正하지 못한 措置를 取하였으며 同 아카바灣 封鎖로 요르단은 말할수 없는 損害를 입고있음.

라) 시리아側 說明

o 걸프灣 事態 自體에 대한 評價나 이라크에 대한 시리아의 立場

95 - 32

0129

등에 대한 意見 없었음.

마) 터키側 說明

o 터키는 事態初期부터 이라크의 措置에 反對하였으며 이라크의
   쿠웨이트 合併 不認定, 이라크軍의 無條件 撤收, 쿠웨이트의 主權과
   領土保全의 早速 回復 및 正統 合法政府의 再建을 支持함.

o 事態의 解決은 유엔의 對이라크 經濟 制裁措置를 徹底 履行하여
   戰爭을 通한 問題解決 보다는 이라크의 外交的인 孤立과 經濟
   制裁 및 軍事的인 威脅등을 通해 戰爭없는 解決을 期待함.

2. 各國의 被害現況 및 支援協議

가) 我國立場 說明

o 對이라크 經濟制裁 措置, 이地域에의 輸出減少, 建設未收金,
   原油價 引上等으로 韓國은 總 60億弗의 損失이 豫想되고
   있음.

95 - 33

0130

o 배럴當 油價 1弗 引上時 我國은 年間 3億弗을 追加負擔해야
   되는바 今番 事態로 40億弗의 油價 追加負擔要因이 發生하게
   되고 이는 來年度 GNP에 2.5%의 低下要因으로 作用할
   것으로 豫想됨.

o 이러한 損失과 北韓과 對峙해있는 安保狀況 및 豫算事情에도
   불구, 我國은 國際社會의 一員으로서 걸프灣 地域의 平和와
   秩序回復을 위한 國際的 努力에 同參하여 多國籍軍 派遣國의
   活動을 支援하고 周邊被害國의 負擔을 덜어주는데 參與하기로
   決定하였음.

o 我國의 支援額은 日本, 獨逸等의 支援에 比해 相對的으로
   미미한 額數이나 그들과 韓國의 GNP 規模를 考慮할때 韓國
   으로서는 결코 적은 額數가 아님.

o 또한 韓國商品의 國際競爭力과 韓國企業의 能率性을 考慮할때
   低廉한 價格과 迅速한 供給은 金額에 비해 훨씬 큰 效果를
   가져올 것임.

95 - 34

0131

나) 對이집트 協議內容

o 我側은 이집트의 中東地域에서의 重要性을 考慮함과 同時에
   同國에 대한 特別한 友好의 表示로 餘他國에 比해 파격적으로
   많은 額數를 配定했음을 强調함.

o 이집트側은 今番 事態로 이라크 및 걸프地域 送出 이집트
   勤勞者들의 大擧 撤收로 因한 送金額 減少, 失業者 增加,
   住宅 및 學校問題와 수에즈運河收入 減少, 觀光收入 減少등으로
   年 90 億弗의 損失이 豫想되며 이와같이 어느나라보다 큰
   打擊과 損失을 입고있는 이집트側에 韓國이 큰 好意를 보이고
   있음은 옳은 決定으로써 이에 謝意를 表明한다고 함.

다) 對요르단 協議內容

o 我側은 國際社會의 一員으로서 國際平和維持에 一翼을 擔當해야
   한다는 判斷과 韓·요르단間의 緊密한 傳統的인 友好關係에
   비추어 莫大한 被害를 입고있는 요르단에 대해 我國 能力
   限度內에서 寄與코자 함을 說明함.

95 ― 35

0132

o 요르단側은 對이라크 經濟制裁措置, 難民流入 및 아카바灣
   封鎖로 周邊 어느國家보다 큰 打擊을 입고 있으며 이집트,
   터키가 現 事態로 3〜4%의 GNP損失이 豫想되고 있으나
   요르단은 13〜15%의 損失이 豫想된다고 하며 이와같이
   어려운 時期에 韓國이 調査團까지 派遣하여 支援을 해주게 된
   데 대하여 심심한 謝意를 表함.

라) 對시리아 協議內容

o 我側은 시리아 外務擔當 國務長官 面談時 걸프만 事態와 關聯
   시리아가 取한 措置를 支持하는 한편 各種 經濟的 不利益을
   입고 있는데 대해 誠意를 다하여 1,000萬弗 範圍內에서 軍需
   物資 및 生必品 支援을 決定하였는바 원래 美國과 西方側에서
   Front-line 國家인 이집트, 터키, 요르단에만 支援을 要請
   했으나 我國의 獨自的인 選擇에 따라 시리아도 追加하여 支援
   키로 決定하였음을 說明함.

o 이는 앞으로 걸프地域을 비롯한 中東에서 이라크의 勢力이
   弱化되는 反面 시리아의 影響力과 地位가 매우 重要해질
   것이라는 豫想下에 시리아와의 關係增進을 希望하고 있는 我國

95 - 36

0133

政府의 뜻에 따른것이라고 부연함.

o 이에 시리아側은 今番 걸프灣 事態로 시리아의 被害가
   20億弗로 莫大하며 全世界가 시리아의 役割을 認定하고 있음
   에도 不拘하고 시리아에 대한 支援問題가 전혀 나오지않고
   있는데 대해 시리아는 매우 당혹스러워하고 있다고 言及함.

o 이집트, 터키, 요르단에 대한 支援은 크게 擧論되면서도 美國,
   西方側은 물론 日本까지도 시리아에 대해서는 전혀 言及이
   없는바 이러한 狀況에서 韓國이 앞장서서 시리아에 대한
   支援을 積極 提起한데 대해 매우 고맙게 생각하나 韓國과의
   修交問題 및 支援提供은 시리아 政府內에서 充分히 檢討되지
   않았기 때문에 支援 接受는 좀더 愼重히 檢討해야 할 것이라고
   대답함.

마) 對터키 協議內容

o 我側은 걸프灣 事態로 莫大한 損失을 입고있는 터키의 努力을
   높이 評價하며 1950年 韓國戰에 參戰하여 我國이 어려운때
   도와준 터키에 대한 謝意表示로 터키의 負擔을 조금이라도

95 - 37

덜어주기를 期待한다고 說明함.

o 이에 터키側은 터키의 陸·海·空路를 通한 對이라크 輸出·
  入 全面禁止와 送油管 閉鎖등의 制裁措置를 취한데 따른
  莫大한 損失, 難民流入, 觀光收入激減, 外國人 投資減少,
  勤勞者 撤收와 送金減少, 軍事費 增額등으로 豫想損失額이
  140億弗에 이른다고 하면서 (西方側은 터키側 被害額을
  70～80億弗로 推算하고 있음) 韓國의 好意에 謝意를 表함.

3. 南北韓의 最近 對外關係 現況說明

가) 韓國의 最近 對外關係 現況

o 韓國과 蘇聯의 關係는 서울올림픽以後 急速히 가까워지고 지난
  6月 샌프란시스코에서 盧泰愚大統領과 고르바쵸프大統領間 頂上
  會談에서 修交에 合意하여 9.30. 正式外交關係를 樹立하였으며 가까운
  시일내 盧大統領의 蘇聯訪問과 고르바쵸大統領의 서울訪問도 잘
  推進되고 있음.

95 - 38

0135

o 蘇聯의 對韓國 主要關心事項은 經濟的인 側面에서 消費 財의
   供給支援 및 一般産業 分野와 시베리아 開發에의 韓國參與인바
   我側은 民間企業이 積極 進出하기 위해서는 投資保障등을 위해
   兩國間 修交가 前提되어야함을 强調하였고 蘇聯도 이에 同感
   하게 되어 修交하게 된것임.

o 中國은 韓國戰 當時 北韓을 도와 參戰하였으며 休戰協定當事國
   으로서 北韓의 後援國이며 盟邦이나 韓國의 資本과 技術을
   願하고 있으며 韓國은 아시아에서 이미 日本 다음으로 中國의
   主要交易 파트너가 되었음.

o 北京 아시아 競技時 韓國의 莫大한 物質的, 技術的 支援을 契機로
   兩國關係는 急速히 가까와지고 最近에는 相互 貿易事務所 設置에
   合意하였는바, 所長은 大使로 任命되고 職員의 免責特權도 認定
   되어 이름만 貿易事務所이지 事實上 外交機關이나 마찬가지이며
   正式 外交關係 樹立도 臨迫해 있음.

o 越南은 越南戰當時 韓國이 美國쪽에 加擔하여 싸웠던 交戰對象
   이었음에도 불구 現在는 韓國과 修交하기를 願하고 있는바
   단지 周邊關聯國에서 캄보디아 問題解決時까지 기다려 달라는

95 - 39

0136

要請때문에 我國이 修交를 遲滯시키고 있으나 곧 修交될 것임.

o 그外 알바니아를 除外한 헝가리, 폴란드, 체코등 大部分의
   東歐圈과 몽고 및 알제리, 잠비아, 콩고등 多數의   非同盟
   第3世界 國家들과도 修交하였음.

나) 北韓의 最近 對外關係 動向

o 北韓은 GNP의   24%를 軍事費에 充當하는등 그간   過多한
   軍事力 維持때문에 심한 經濟難에 봉착해 왔는바 最近 蘇聯이
   對北韓 軍事支援 및 原油供給을 現在까지의 方式으로 繼續하기
   困難하며 來年부터는 國際價에 의한 硬貨로의 支拂을 要請함에
   따라 經濟難은 더욱 加重될 것임.

o 이러한 經濟難 解決을 摸索하기 위해 北韓은 日本에 接近,
   最近 國交樹立을 提議하였는바 지금까지 北韓은   分斷固着을
   理由로 日本과의 公式關係 樹立을 拒否해 왔으나 經濟難으로
   日本의 經濟援助를 希望하고 있는것임.

o 韓國과 日本의 關係上 韓國이 反對하면 日本은 北韓과의 外交
   關係樹立 및 經濟援助를 해줄 수 없음. 그러나 韓國은   이를

95 - 40

0137

反對하지 않고있는바 北의 開放을 위해 友邦國이 北韓과 修交하는 것을 反對않는다는 것이 我國의 立場임.

o 韓國은 北韓이 루마니아에서와 같은 衝擊的인 方式으로 急變하는 것을 원치않고 穩建하고 漸進的인 方法으로 改革과 開放을 하기를 願하고 있음.

o 我國은 北韓이 막다른 코너에 몰릴경우 적지않은 軍事力을 政治的인 目的을 위해 使用하여 可恐할만한 事態를 挑發하게 되는 極限 狀態를 원치않으며 北韓의 安定된 變化가 統一에도 도움이 되리라 생각하고 있음.

다) 最近 南北韓 關係

o 이러한 狀況下에서 北韓은 不可避하게 變하지 않을수 없으며 急速히 發展하고 國際的인 地位가 계속 上昇하고 있는 韓國에 대한 態度를 부드럽게 하지 않을수 없음.

o 韓國의 經濟力은 이제 開途國의 水準을 넘어 貿易規模는 世界 12번째, GNP는 15번째의 規模이며 世界的 規模의 여러 大企業과 世界的 水準의 鐵鋼産業등을 保有한 工業國임.

95 — 41

o 軍事分野에 있어서도 韓國은 年間 GNP의 4.4%인 100億弗을 國防費에 쓰고있으며 優秀한 訓練과 效率的인 裝備를 갖춘 60萬大軍을 維持하고 彈藥, 大砲, 미사일, 헬리콥터, 艦艇등 거의 모든 種類의 軍裝備를 生産하고 있음.

o 한편 北韓은 GNP의 24%를 國防費에 쏟고 있으나 資源의 非效率的 使用과 經濟難으로 韓國과의 軍備競爭을 더이상 지탱하기 어려워 南北韓 軍備縮小를 提議하고 있는 형편임.

o 그結果 南北韓間에는 2回의 總理會談을 비롯 蹴球 交換競技, 音樂 演奏會 交換開催등 接觸이 있었으며 南北韓 和解雰圍氣가 造成되고 있음.

o 北韓은 아직도 韓半島의 赤化統一 基本政策을 拋棄하지 않고 韓國內 社會攪亂, 韓國誹謗, 유엔單一議席 加入主張등 非現實的, 非建設的 態度를 버리지 않고 있으나 我國으로서는 忍耐를 갖고 北韓을 회유, 說得하여 開放的이며 自由스러운 國際社會의 一員으로 나올수 있도록 積極 努力할 것임.

95 - 42

0139

4. 이집트·시리아와의 修交交涉

가) 이집트

(1) 我側 說得論理

○ 걸프灣 事態關聯 支援을 다른 外交目的을 위해 利用하고자
하는 利己的인 意圖는 없으나 支援額 決定에 雙務關係를
考慮하였음은 事實인바 例로써 터키는 韓國戰 參戰國이므로
恩惠를 되갚는다는 名分이 크게 加味되었음.

○ 한편 이집트에 대한 支援은 執行過程에서 我國國會와 言論
등이 韓·이집트 國交關係 不在事實을 指摘하면서 對이집트
支援을 批判할 可能性이 큼에 비추어 이집트가 韓國政府의
立場을 庇護할 수 있도록 外交的인 措置를 취하여 주는것이
바람직함.

○ 特히 韓·이집트關係는 지난 1961년이래 30년간 領事關係를
維持해왔음에 비추어 이제는 外交關係를 樹立할 段階에
이르렀음. 韓國은 1991년 안으로 中國과 修交하고 유엔에
加入될 可能性이 큰바 그 以前에 韓·이집트關係가 正常化

되어 意味있는 關係로 發展되길 바람.

o 이집트가 韓國의 마지막 修交國이 되지않고 韓國側으로부터 評價되기 위하여서는 韓國의 유엔加入이나 中國과의 關係 正常化 以前에 修交해야 하므로 現時點이나 또는 最小한 가까운 將來에 이러한 政治的 決斷을 내릴것이 要望됨.

o 正式修交를 通하여 兩國은 經濟分野와 함께 防産分野에서의 相互協力도 增進시킬 수 있을것임. 蘇聯이 처음에는 未修交 狀態에서도 兩國間 經濟協力이 可能하다고 主張했으나 我國 企業의 投資保障問題등의 限界에 부딪힘에 따라 本格的인 協力을 위해서는 修交가 必須的이라는 點을 깨닫게되어 修交를 妥結 시켰던 것임.

o 最近 我國은 東歐圈과 蘇聯등 社會主義國家들과 알제리, 잠비아등 非同盟國家들과 修交하였는바, 이러한 修交에서 보듯이 韓·이집트 修交가 이집트·北韓間의 旣存關係를 侵害 하지는 않을것이며 오히려 北韓이 國際社會의 責任있는 構成員으로서 責任과 義務를 다하는데 큰 도움이 될 것임.

95 — 44

0141

(2) 이집트側 反應

　ㅇ 韓半島 情勢와 關聯 北韓이 南北對話에 應하고 日本과의
　　關係正常化를 提議한 것은 肯定的인 發展으로 보고 이를
　　歡迎하며 이집트로서는 그렇지 않아도 韓國과의 關係正常化를 위한
　　契機를 찾고있던 차에 南北韓 總理會談까지 열리고 있으므로
　　韓國과의 關係正常化가 早速 實現되도록 努力하겠으며 韓國
　　外務長官과는 유엔總會時 만나왔었는데 今番에는 事情上
　　만나지 못했는바 各別한 個人的 安否를 전해주기 바람
　　(外務長官)

　ㅇ 韓國의 軍需産業의 發展相도 잘알게 되었는 바 追後 兩國間 同
　　分野에서의 協力을 希望하며 韓·이집트 兩國關係는 今番을
　　契機로 더욱 가까워져 앞으로 適當한 時期에 大使級
　　關係로 發展할 것으로 確信함. (國防長官)

　ㅇ 總理級 南北對話 進展을 歡迎하며 南北韓 和解雰圍氣는
　　이집트와 같은 第3國이 韓國과의 外交關係를 增進시킬수
　　있는 機會를 提供함. 韓·埃 關係正常化 展望에 關하여
　　過去 어느때보다 樂觀的으로 보며 91年에는 本人이 公式
　　政府代表로서 訪韓할 수 있기를 希望함. (外務擔當 國務長官)

95 ― 45

0142

o 韓國總領事館은 北韓大使館에 비해 조금도 不利하지 않게 協助를
  提供받고 있으며 韓國總領事가 오히려 北韓大使보다 더 나은
  實質的 待遇를 받고 있음. 北韓이 버림받는 나라라는
  느낌없이 問題解決 方法을 찾도록 努力해야 할 것이며
  아울러 韓國이 各國과 修交함에 있어 이집트가 마지막으로
  修交하는 나라로 남지 않도록 留意하겠음. (外務次官)

o 이집트는 비록 修交問題를 遲延시켜 왔으나 各種 國際舞臺
  에서는 韓國立場을 支持해 왔는 바 最近의 例로써 IAEA
  原子力問題 討議時는 北韓을 擧名하면서 IAEA 安全措置
  協定을 締結토록 促求하였으며 今番 유엔總會時는 유엔의
  普遍性 原則을 强調함으로써 韓國의 유엔加入을 間接 支持
  한바 있음. (外務部 國際機構局長)

o 솔직히 말하여 이집트는 對北韓關係 때문에 對韓國關係를
  遲延시켜 왔는바 이를 現段階에서 당장 修正하기는 어려우나
  韓國이 이집트가 어려운 時期에 援助를 提供한 事實은 韓·
  이집트 關係에 極히 肯定的으로 反映될 것임. (外務部
  亞洲局長)

95 - 46

0143

(3) 分析 및 展望

(今番 使節團長의 이집트 訪問中 主要閣僚, 外務部幹部 및
美國大使와의 公式, 非公式 환담을 통하여 韓·이집트 兩國
間題에 관하여 받은 印象)

o 이집트 外務部內에서의 對韓國修交 必要性은 充分히 成熟되어
있으나 修交에 대한 主要障碍는 무바락 大統領의 北韓에
대한 個人的 義理感 때문임. 1973年 戰爭當時 空軍參謀
總長이었던 무바락 大統領은 當時 北韓의 對이집트 空軍
支援에 대하여 아직까지 큰 고마움을 느끼고 있으며 그後
2次에 걸친 訪北結果로 무바락 大統領과 金日成間의 個人的인
親分이 크게 深化된 것이 修交遲延의 主要要因으로 作用하고
있음.

o 따라서 이집트 政府內의 官吏들은 무바락 大統領의 이러한
心中때문에 大統領에게 對韓 國交樹立을 果敢히 建議하지
못하고 있는 實情이며 대신 實務的인 次元에서 韓國總領事를
北韓大使보다 더 잘 待遇해주고 國際機構에서 我側의 支持
要請에 協調를 해주는 誠意를 表하고 있는것으로 보임.

95 — 47

0144

o 이집트側은 今番 韓國의 經濟援助 때문에 政治的 態度를
   바꾼다는 印象은 피하고자할 것이므로 我國 經濟支援은 당장
   修交에 反映되지는 않을것이나 我國에 대한 漸進的 關係
   改善에는 큰 寄與를 할 것으로 判斷됨. 特히 Meguid
   外務長官 및 Ghali 國務長官과의 面談에서 我側이 經濟援助와
   修交를 連繫시키는 것도 피하고 修交를 强要하는 印象도
   피하면서 유연한 姿勢를 취하여 오히려 이집트側의 負擔感을
   增加시켰다고 봄.

o 北韓과의 關係에 있어서는 北韓을 攻擊하지 않고 南北對話를
   진지하게 評價하면서 北韓을 國際社會의 一員으로 誘導하는데
   이집트가 建設的으로 寄與해 주기를 바란다고 함으로써 南韓
   攻擊을 常習으로 하는 北韓의 態度와 對照를 보였으며, 南北
   對話를 韓國과의 修交契機로 삼으려는 이집트側 생각과 符合
   하였음.

o 이집트는 北韓이 자진하여 態度를 바꾸는 일은 없을것으로
   보며 이집트가 我國과 修交하는 경우 北韓이 强하게 反撥하고
   나오는 것은 不可避하다고 보고있어 我國과의 關係를 밀고

95 - 48

0145

나갈 心的準備는 되어있는 것으로 보임.

ㅇ 結論的으로 이집트 外務長官 및 外務擔當國務長官은 이집트가
  韓國과 修交하는 마지막 나라가 되지않기 위하여 時期를
  보고 있다고 하는바 南北對話의 進展을 좋은 契機로 삼고
  있으며 1991년중에 修交時期를 찾고있는 感觸을 받았음.

나) 시리아

(1) 我側 說得論理

ㅇ 我國은 蘇聯을 위시하여 世界 거의 모든 나라와 外交關係를
  맺고 있으나 시리아와의 關係改善만이 매우 늦어져 있어
  早速한 時日內 兩國關係 正常化를 希望하고 있음.

ㅇ 我國政府는 中東에서의 이라크의 地位低下와 함께 시리아의
  地位上昇을 豫想하고 있는바 아시아에서 새로운 役割을 摸索
  하고 있는 韓國과 中東의 시리아가 相互 緊密한 關係를
  맺기를 期待함.

ㅇ 韓半島에서는 南北對話가 잘 進行되고 있으며 韓國은 經濟的

95 — 49

0146

어려움에 直面하고 있는 北韓을 孤立에서 脫皮토록 誘導하여 國際社會의 一員으로 나오도록 하고자 하는바 이에 시리아가 一助를 해주길 바람.

o 또한 兩國은 人的交流와 通商關係를 꾸준히 增大시켜 왔는바, 我國 民間企業이 시리아에 많이 進出하여 시리아의 發展에 貢獻하고 兩國間 相互利益이 되는 實質協力을 劃期的으로 增進시키기 위해서는 兩國間 正式修交가 緊要함.

o 我國은 1961年 시리아 政府를 承認하고 1962年에는 兩國間 外交關係 樹立을 合意한바 있었기 때문에 새로운 出發에 큰 어려움이 없을것임. 當時 我國과 이스라엘間의 關係때문에 시리아側이 我國大使의 아그레망을 賦與치 않았으나 現在 我國에는 이스라엘 常駐大使館이 없고 同 常駐大使館 設置 提議를 我側이 거절하고 있어 큰 問題가 없음.

(2) 시리아側 反應

(國防長官)

o 北韓사람을 만나면 맑스주의가 모든것을 解決해주는 것이 아니라고 충고해주고 싶음.

95 — 50

0147

o 南北韓이 하루속히 統一되기를 希望하며 東獨이 西獨에
  흡수된것과 같이 모든면에서 나은 南韓이 北韓을 흡수해서
  統一하기를 바람.

o 韓國과의 外交關係 樹立은 항시 支持해온바 外務部 所管事項
  이나 側面에서 돕도록 努力하겠으며 大統領室과의 連絡問題
  에도 協調하겠음.

(大統領 妻男)

o 韓國業體들이 시리아와 去來를 하는데있어 外交關係가 있어야
  한다고 主張하고 있는바 本人도 投資나 經濟去來에 있어
  外交的인 保護가 뒷받침되어야 한다는 事實을 充分히 理解하며
  側面에서 돕겠음.

o 北韓과의 關係는 重要한 障碍가 되지않으며 조금만 忍耐를
  가지고 기다려주기 바람.

o 大統領에게 詳細한 報告를 하기 위해서는 時日이 必要한바
  大統領으로부터 反應이 있는대로 駐요르단大使館을 通해 連絡
  해주겠음.

95 - 51

0148

(外務擔當　國務長官)

o 今番　걸프灣　事態에　대해　많은　나라들이　이집트, 요르단,
터키의　支援問題를　말하면서　시리아에　대해서　전혀　言及을
안하고　있는데　韓國이　먼저　支援意思를　表明한데　대해　매우
고맙게　생각하나　內部에서　充分히　協議되지　않아　一但　保留
하고　檢討코자　함.

o 兩國은　이미　經濟關係가　進行中인바　同　經濟關係를　더욱
發展시킨後　修交雰圍氣가　무르익을때　修交하는　것이　바람직함.

o 시리아는　여러나라와　外交關係　없이도　經濟關係를　갖고　있는
바　앞으로　兩國間　經濟關係增進에　따라　政治關係로　發展시킬
것을　希望함.

(3) 分析　및　展望

o 我國代表團　訪問當時　大統領의　地方視察　및　外務長官의　리야드
訪問　歸任後　곧바로　이란　副統領과　外務長官이　訪問하여
時期的으로　外務部　接觸에　어려움이　많았음.

o 또한　시리아와의　關係改善은　시리아와　美國間의　關係와　函數

95 — 52

0149

關係에 있음을 確認한바 最近 레바논 事態를 위요하고 美國과 시리아가 미묘한 關係에 있어 이에 많은 影響을 받을 것으로 보임.

5. 其他 雙務關係 協議

가) 이집트

(1) 이집트 國防部側 要請事項

○ 10.29. 國防部 實務會議時 이집트側은 特殊유리 (사막에서의 눈保護用 안경, 탱크用 安全유리 및 夜間時 照明유리) 生産工場 擴張 또는 新築에 EDCF 資金 使用可能與否 問議함.

○ 我側은 EDCF 資金은 原則上 開發프로젝트 支援用임을 說明한바 이집트側은 EDCF와 關係없이 同 韓國業體와의 合作投資 및 關聯 我側 專門家 派遣을 提議하여 我側은 檢討해 보겠다고 答辯함.

○ 또한 이집트 國防長官은 我國 防衛產業의 發展相에 감탄하면서

95 - 53

0150

同　分野에서의　協力強化를　希望함.

(2)　內閣事務　및　行政開發國務長官　面談時　擧論事項

　　ㅇ　同　長官은　全國　戶籍整理를　위한　電算記錄作成, 山林綠化分野,
　　　　環境保存分野, 自由市場　體制에　對備한　經濟開放分野, 걸프地域
　　　　등에의　進出을　위한　韓·이집트·걸프地域國家의　三角　協力,
　　　　綿花栽培등　農業生產性　向上을　위한　技術支援등　各種　分野에
　　　　있어서　韓國政府와　韓國民間會社들이　積極　支援하여　줄것을
　　　　要請

　　ㅇ　이에　대하여　柳次官은　兩國間의　經濟構造에　있어서　相互補完
　　　　的인　面이　많고　特히　韓國의　開發經驗이　이집트의　境遇에
　　　　適用될　수　있는　點이　많으므로　兩國政府間　協力을　强化할
　　　　수　있을　것이라고　言及하면서　特히　行政電算分野에　있어서는
　　　　我側이　提議한　EDCF資金의　適用도　一但　檢討해볼　수　있을
　　　　것임을　示唆함.

　　ㅇ　또한　이러한　協力關係에　대한　韓·이집트　兩國間의　基盤을
　　　　造成하기　위해서는　關係正常化가　必要함을　强調한바　同
　　　　長官은　韓·이집트　關係發展을　위한　政治的　決斷이　가까운

95 - 54

0151

將來에 이루어질 것으로 確信한다고 말하면서 이를 위해 同人은 最善을 다할것임을 約束하였음.

※ 同長官은 一般行政 및 이집트 政府의 各種分野에 모두 關聯되어 있음에 따라 大統領側近인 官房長官 役割을 하고 있어 政府內 및 大統領에 대한 影響이 매우 큰것으로 알려져 있음.

나) 요르단 (인광석 輸入增大 問題)

o 10.31. 요르단 經濟企劃部 長官을 首席으로한   會談에서 요르단側은 兩國間 懸案으로 되어있는 第3次 韓 · 요 共同委 開催問題를 提起한바 我側은 我國代表團이 關係部處 高位實務者로 構成되어있어   兩國間 協議次元에서 一般的인 雙務 關係討議도 準備되어 있으므로 共同委로 活用할것을 提議하여 合意를 봄.

o 요르단側은 兩國 貿易不均衡 問題를 解消시키기 위한 方案의 一環으로 同國 最大 輸出品인 인광석과 염화가리 購入增大를 强力 要望하면서 我國의 요르단산 인광석 輸入量이   89 年

95 - 55

14萬屯에서 今年에 10萬屯 以下로 減少趨勢를 보이고 있음을 指摘하였음.

○ 我側은 政府에서 行政的인 助言을 통해 요르단側 인광석 輸入增大를 積極 勸奬할 것이나 我國은 基本的으로 民間 主導經濟體制이며 實需要者도 民間 會社임에 따라 輸入增量 與否는 各 企業體에서 物品의 質과 價格條件等을 勘案 決定 하므로 政府가 關與하기 困難하나 요側 要望事項을 誠意있게 檢討하겠다고 다짐함.

○ 我國代表團 商工部 황두연 商易局長도 兩國 交易增大次元에서 요르단側 인광석 輸入增大를 위해 積極 努力하겠다고 言及함.

○ 동건 Hassan 王世子 面談時 參席한 經濟部處, 長·次官 및 晩餐에 參席한 關係會社 社長들도 我國 政府의 協調를 再次 간곡히 要望함.

95 - 56

0153

Ⅳ. 各國 言論 報道 內容

0154

가) 이집트

(1) T.V. 뉴스 (채널   1,3)

　o　放映時間：90.10.29.（月） 06：00, 07：30
　o　內　　容：柳宗夏 次官과 Ghali 外務擔當 國務長官과의   面談

The State Minister For Foreign Affairs, Dr. Boutros Boutros Ghali received today the South Korean Vice Foreign Minister, Mr. Yoo Chong Ha. Dr. Ghali probed with the South Korean official the latest developments of the Gulf crisis. Following the meeting Dr. Ghali said that he and the South Korean Vice Foreign Minister held identical views on condemning the Iraqi invasion of Kuwait and on supporting the U.N Security Council Resolution for the immediate and unconditional Iraqi withdrawal from Kuwait. Also, Dr. Ghali added that he probed with the South Korean Vice Foreign Minister, Mr. Yoo Chong Ha the situation in the south east Asia and in the Korean Peninsula in particular, expressing Egypt's interest in the current inter-Korean dialogue and Egypt's support for the Korean reunification.

95 - 59

0155

(2) 日刊紙 Al Gomhouria

○ 報道日字 : 90.10.30. (火)

○ 報 道 面 : 第3面, 1段 × 18 cm

○ 題 目 : South Korean Support to Egypt for Her Role
in the Gulf Crisis

Written by Ahmed Ismail:

The South Korean Vice Foreign Minister expressed his
country's readiness to give food assistance to the countries hit
by the Gulf crisis.

Following his meeting with the Egyptian State Minister for
Foreign Affairs, Dr. Boutros Boutros Ghali, the Korean Vice
Foreign Minister, Mr. Yoo Chong Ha said that his talks with Dr.
Ghali covered the latest developments of the Gulf crisis and the
means of boosting the economic co-operation between Egypt and
South Korea.

95 — 60

0156

The Egyptian State Minister For Foreign Affairs, Dr. Ghali said that he reviewed with the South Korean Vice Foreign Minister the latest developments of the Gulf crisis and that their views are identical on condemning the Iraqi invasion of Kuwait and on backing the U.N Security Council Resolution for the immediate and unconditional Iraqi withdrawal from Kuwait and the return of the Kuwaiti legitimate government.

Dr. Ghali added that he probed with the South Korean official the situation in south east Asia and in the Korean Peninsula in particular. Dr. Ghali expressed Egypt's interest in the current dialogue between South and North Korea and Egypt's support to the Korean Unification.

An Official source at the Korean Consulate General said that the Korean government decided extending financial support to Egypt for her major role in the region and her relentless efforts to achieve peace in the Middle East.

It is to be noted that the visiting Korean delegation is headed by the Vice Foreign Minister, Mr. Yoo Chong Ha and in-

95 — 61

0157

cludes high ranking officials from the Korean Economic Planning

Board, the Ministry of Finance and the Ministry of Trade and

Industry.

دعم كوري جنوبى تقديرا لدور مصر تجاه أزمة الخليج

كتب ـ احمد اسماعيل :

اعرب يوتشانج ها نائب وزير خارجية كوريا عن استعداد بلاده لتقديم مساعدات غذائية للدول المتضررة من أزمة الخليج .

وقال عقب استقبال الدكتور بطرس غالى وزير الدولة للشئون الخارجية له والوفد المرافق انه تم بحث أزمة

البقية ص٣

دعم كورى بقية ص ١

الخليج وسبل تدعيم التعاون الاقتصادى بين مصر وكوريا .

وصرح د . غالى بأنه تم تبادل الرأى حول أزمة الخليج الذى اظهر اتفاق وجهات النظر من حيث ادانة الغزو العراقى للكويت وتأييد قرارات مجلس الامن التى تطالب بالانسحاب الفورى غير المشروط وعودة الحكومة الشرعية .

وقال أنه تم استعراض الوضع فى جنوب شرق اسيا وفى شبه الجزيرة الكورية بوجه خاص حيث اعرب د . غالى عن اهتمام مصر بالحوار الدائر بين كل من كوريا الجنوبية وكوريا الشمالية وتأييد مصر للوحدة بين الكوريتين .

وصرح مصدر مسئول بالقنصلية الكورية بالقاهرة « للجمهورية » بأن الحكومة الكورية قررت تقديم دعم مادى لمصر لدورها الرائد فى المنطقة وكذلك محاولاتها الدائبة لاقرار السلام فى المنطقة والوصول لحل سلمى للازمة الخليج .

ويرافق وزير خارجية كوريا الجنوبية وفد يتكون من ٩ اعضاء يمثلون وزارات التخطيط والمالية والتجارة والصناعة .

95 — 62

0158

(3) 日刊紙 **Al Ahram**

o 報道日字 : 90.10.30. (火)

o 報 道 面 : 第 8 面, 1 段 × 7 *cm*

o 題　　目 : Egypt and South Korea Agree on Condemming the

Iraqi　Invasion of Kuwait

The State Minister for Foreign Affairs, Dr. Boutros Boutros Ghali received yesterday the South Korean Vice Foreign Minister, Mr. Yoo Chong Ha and probed the latest developments of the Gulf Situation and agreed on condemning the Iraqi invasion of Kuwait. Dr. Ghali said that he and the South Korean official held identical views on supporting the U.N.Security Council Resolution for the immediate and unconditional Iraqi withdrawal from Kuwait.

Dr. Ghali added that he probed with the South Korean Vice Minister, Mr. Yoo Chong Ha the situation in the south east

95 — 63

0159

Asia and in the Korean Peninsula in particular. Dr. Ghali ex-

pressed Egypt's interest in the current inter-Korean dialogue

and her support to the Korean reunification.

اتفاق مصر وكوريا
الجنوبية على ادانة
الغـــزو العراقـــى
استقبل الدكتور بطرس غالي وزير الدولة
للشئون الخارجية امس السيد شونج ماير
نائب وزير خارجية كوريا الجنوبية حيث تم
تبادل الرأي حول ازمة الخليج واتفاق البلدين
بشأن ادانة الغزو العراقى للكويت وتأييد
قرارات مجلس الامن المطالبة بالانسحاب غير
المشروط وعودة الشرعية .
وصرح الدكتور غالي بانه تم في الاجتماع
استعراض الوضع في جنوب شرق اسيا
وشبه الجزيرة الكورية حيث اعرب الدكتور
غالي عن اهتمام مصر بالحوار الدائر بين
شطرى كوريا وتأييد مصر للوحدة بين
الكوريتين .

95 — 64

0160

(4) 日刊紙 The Egyptian Gazette

○ 報道日字 : 90.10.30. (火)

○ 報 道 面 : 第1面, 1段 × 12 cm

○ 題 目 : Ghali Probes Gulf with S.Korea Team

Ghali probes Gulf with S. Korea team

STATE Minister for Foreign Affairs, Dr. Boutros Boutros Ghali conferred yesterday with the visiting South Korean Vice Minister, Mr. Yoo Chang Ha and his accompanying high-level delegation.

Dr. Ghali and Mr. Yoo Chang Ha discussed the latest developments of the Gulf crisis and means to boost economic cooperation between the two countries.

Furthermore, the visiting Korean official told reports afterwards that Seoul is willing to provide food assistance to the countries hardest hit by the Gulf crisis.

In the meantime, an official source from the Korean Consulate in Cairo told the Gazette correspondent Mohammad Ismail that the Korean government decided to offer financial aid to Egypt in recognition of its leading role in the area, as well as its relentless efforts to achieve peace in the Middle East

95 — 65

0161

o 日　　字：90.10.31 (水)
o 題　　目：The Interview Made by the Middle East
　　　　　News Agency with the South Korean Vice
　　　　　Foreign Minister, Mr. Yoo Chong Ha During
　　　　　his Official Visit to Egypt.
o 出　　處：記者會見

Cairo, October 31, 1990 (M.E.N.A.)

The South Korean Vice Foreign Minister, Mr. Yoo Chong Ha,
described his talks with the Egyptian Officials as useful and
fruitful.

In a special interview with Middle East News Agency before
leaving Cairo, Mr. Yoo said that his talks in Egypt 30 Million
Dollars its half as a grant and the other half as an soft loan
from the Korean Economic co-operation Fund with an 3.5% interest
rate and 5 years grace period, and to be repaid in 20 years.

The South Korean Vice Foreign Minister added that, although
South Korea is a developing country, yet she is trying in a

95 － 66

0162

moderate way, to contribute into softening the losses incurred by Gulf Crisis. Also, Mr. Yoo elaborated that his talks covered promoting co-operation between the two countries especially in the fields of private sector and the Joint Ventures, pointing out that there are a number of the Korean companies working in the Middle East countries including Egypt which enjoys a key position and abundant manpower.

Mr. Yoo Chong Ha said that he probed with the Egyptian Officials the possiblity of up-grading the diplomatic representation to the Ambassadorial level as it would help further boost the bilateral economic co-operation, and provide economic protection to both countries's investors pointing out that this protection is guranteed by the governments.

Moreover, the South Korean Vice Foreign Minister said that he probed with the Egyptian Officials the developments of the Gulf Crisis and its impact on the situation in the area.

Mr. Yoo Chong Ha stressed that South Korea supported the

95 — 67

0163

Egyptian stand on the Gulf Crisis and backed the U.N. Security Council Resolution for imposing economic sanctions against Iraq, as well as the efforts made by Egypt and the Arab countries for establishing peace in the area.

Answering a question on the options of war and peace, the South Korean Official said that Korea is far away from the region, and we judge the events through the indirect information and News, we receive from the press and News Agencies, and it is diffcult decide among these options, so our visit to the area was a chance to get acquanited with the real situation from different sources.

Mr. Yoo expressed confidence in the importance of establishing peace in the area for the general interest of the countries of area, pointing out that Korea receives 89% of her oil imports from them. Mr. Yoo added that in case the current situation lasted for one year, South Korea would suffer 2.5% losses of her national income.

The South Korean Vice-Foreign Minister said: "As the crisis

95 — 68

0164

incurred dangerous consequences, we are directly interested in
following it up. And I think that there are major obstacles in
the way of establishing peace in the area, yet we hope that this
crisis would end soon.

Mr. Yoo Chong Ha refered to the recent rise in the oil
prices with their effect on the Korean economy, whose exports
amount to U.S. 65 billion dollars, and mainly depend on energy
in many fields, pointing out that in case the oil price rise
continued, the South Korean exports will decrease.

Commenting on the recent inter-Korean talks, the South
Korean Official said that there was a meeting between the two
Korean Prime Ministers, and we hope that a summit meeting will
be held between the Presidents of South and North Korea for
achieving the Korean unification. This will be followed by
exchange of visit between the soccer teams from both sides.
Mr. Yoo Chong Ha said that his country recently proposed opening
borders yet North Korea is still cautious.

95 — 69

0165

(6) 日刊紙 **The Egyptian Gazette**

○ 報道日字：90.11.1.(水)

○ 報 道 面：第2面, 2段 × 14 cm (2面 톱)

○ 題   目：Cooperation with S.Korea to Expand

○ 出   處：記者會見

Cooperation with S. Korea to expand

THE Deputy Foreign Minister of South Korea, Yoo Chang Ha, who left Cairo yesterday after a three-day visit, affirmed that his talks with the Egyptian officials were useful and fruitful and that the talks covered the Korean financial aid programme to Egypt.

He pointed out that the Korean aid to Egypt will reach 30 million dollars, one half in the form of grants and the second half in the form of an easy-term loan extended by the Korean' Fund for Economic Cooperation with Egypt. The loan will be repaid over twenty years, with five-year grace period and at an interest rate of 3.5 per cent.

"Although South Korea is a developing country, yet we try to help Egypt overcome the losses incurred due to the Gulf crisis", he said, adding that cooperation between the two countries will also include the establishment of joint projects.

The Korean official also said that his talks in Cairo covered the possibility of raising the diplomatic representation between the two countries, a step which will be useful for providing protection for investors of each country in the other.

"South Korea supports Egypt's stand towards the Gulf crisis and backs Egypt's efforts to establish peace in the area by putting the resolutions of the Security Council into effect", he said. "We are concerned with establishment of peace in the Middle East because 98 per cent of South Korea depends on the exports to the countries of the region", he added.

05 — 70

0166

(7) 週刊紙　**Akher Sa'a weekly Magazine**
   o　報道日字：90.11. 7(水)
   o　報 道 面：第 36 面　　1段 × 36 cm
   o　題　　目：

A commentary written by Tarek Foda on the South Korean
Vice-Foreign Minister's visit to Cairo, titled:
ON THE MARGINES OF DIMPLOMACY U.S. 30 MILLION
DOLLARS FROM SOUTH KOREA

   o　出　　處：記者會見

The South Korean Vice Foreign Minister, Mr. Yoo Chong Ha
came to Egypt heading a 9-member delegation to say us:　"We, in
South Korea, would like to keep up with the current situation.
We support you in the Gulf crisis.　We know the volume of damages
that hit you-and hit us also, as a result of the economic embargo
imposed on Iraq.　We are hit by the Gulf crisis as our country
is a small hard-working country whose annual exports amount to
U.S. 65 billion dollars our exports mainly depend on industry,
which in turn, is based on the oil we import from the Gulf
countries.　We import around 89% of our oil from the Gulf.

"Although our country is a developing one whose economy is

95 — 71

0167

not as strong as that of the United States, Germany, or Japan, Yet we would like to say that, we support you". For this reason, the South Korean Vice Foreign Minister, Mr. Yoo Chong Ha came to Egypt carrying two cheques; the first for U.S. 15 million dollars as an urgent aid with which we buy goods and equipments from South Korea, and the other U.S. 15 million dollars from the Korean Development programme, to be repaid in 20 years with 3.5% interest rate and with a 5 years grace period.

Mr. Yoo Chong Ha stressed the importance of joint action. He said: "Egypt is rich in the skilled manpower, and South Korea has the experienced businessmen. If these two elements were combined together, we would get better results. Egypt enjoys an excellent position as she is located in the heart of the Arab World. Also, Egypt is a part of Africa, and is very near to Europe. This position gives Egypt many advantages.

"We have to work together. It is already known that, capitals are coward, and the businessmen are afraid to come to a country with which their government has not diplomatic representation.

95 — 72

"In fact, there is a Korean Embassy in Cairo carrying the name of "THE CONSULATE GENERAL", headed by a Consul General with the rank of an Ambassdor. Yet, why it is not full Embassy..

"Why does not Egypt has an Embassy in Seoul, especially after South Korea has managed to open Embassies in 145 countries, the last of which was the Soviet Union, the South Korean businessmen hurried to invest their funds in the Soviet Union especially in Siberia. The volume of dealing with the Soviet Union will hit U.S. 5 billion dollars a year within the period of one or two years.

Moreover, another five countries will declare opening Embassies in Seoul in few months. Veitnam is among those countries.

This is in addiiton to the major developments in the South Korean-Egyptian relations in the economic fields. Also, South Korea has managed to invade one of the Egyptian chronic deseases, I mean, Bilharzia, which is completely cured with 4 tables only.

95 — 73

0169

لابد من العمل سويا .. ولكن رأس المال جبان .. ورجال الأعمال يخافون أن يأتوا إلى بلد ليس بين حكومته وبينه تمثيل دبلوماسي ..

حقيقة توجد في قلب القاهرة سفارة كورية الجنوبية تحمل اسم القنصلية العامة يرأسها قنصل عام بدرجة سفير . ولكن لماذا لا تكون سفارة كاملة ..

ولماذا لا تكون في مدينة سيول سفارة مصرية بعد أن استطاعت كوريا الجنوبية أن تفتح سفارات في ١٤٥ دولة . كان آخرها الاتحاد السوفيتي . وبمجرد إعلان روسيا على فتح سفارة لها في سيول راح رجال الأعمال الكوريون الجنوبيون يستثمرون أموالهم في الاتحاد السوفيتي خاصة في سيبيريا بحيث يصل حجم التعامل إلى خمسة آلاف مليون دولار سنويا في غضون سنة أو اثنتين !

وهناك خمس دول أخرى تعلن عن فتح سفاراتها في سيول في غضون أشهر قليلة منها فيتنام ولاوس ..

هذا مع التطور الكبير في علاقات التجارة والاقتصاد والصداقة بين البلدين مصر ــ وكوريا الجنوبية بعد أن استطاعت كوريا أن تغزو واحدا من أسخف الأمراض المتوطنة في مصر ، البلهارسيا ، عن طريق حبوب أربعة يتناولها المريض فيشفى بإذن الله ..

طـــارق

● المستر يوتشونج ●

و ٣٠ مليون دولار من كوريا الجنوبية

على وجه السرعة طار المستر يوتشونج ها Yoo Chong ha نائب وزير الخارجية الكورية الجنوبية إلى القاهرة على رأس وفد مكون من تسعة من كبار المسؤولين ..

الهدف أن يقولوا : إننا في كوريا الجنوبية لا نريد أن نتخلف عن الركب . إننا نقف معكم في محنة الخليج . إننا نعرف حجم الأضرار التي تصيبكم ــ وتصيبنا أيضا من جراء الحصار الاقتصادي على العراق أما نحن فإننا نتضرر من رفع أسعار البترول . إننا دولة صغيرة تعمل بجد . نصدر سنويا ما قيمته ٦٥ ألف مليون دولار . ولكن صادراتنا تعتمد على تكاليف الصناعة . وأول مكونات الصناعة في كوريا ــ أو أول ما نعتمد عليه هو البترول القادم من الخليج نحن نستورد ٨٠ ٪ من بترولنا من الخليج ..

ورغم أننا دولة نامية . اقتصادنا ليس مثل أمريكا ولا ألمانيا ولا اليابان . لكننا نريد أن نقول إننا نقف إلى جانبكم .. من أجل هذا جاء تشونج ها وهو يحمل في يده شيكين . الشيك الأول بـ ١٥ مليون دولار معونة عاجلة .نشترى به بضائع ومعدات من كوريا ــ وبالمناسبة أسعارهم رخيصة ومنافسة وجيدة والشيك الثاني ضمن برنامج التنمية بمعنى إننا سندفعه لكن على عشرين سنة بفائدة قدرها ٣,٥ ٪ مع فترة سماح خمس سنوات !

وأكد تشونج ها على ضرورة العمل سويا .. قال بالحرف الواحد أن مصر غنية بعمالها المدربين الأذكياء . وأن كوريا الجنوبية مليئة الآن برجال الأعمال ذوي الخبرة . إذا اجتمعوا سويا فإنهم يصنعون أفضل إنتاج . ولمصر وضع متميز . إنها في قلب العالم العربي . إنها جزء من أفريقيا وهي قريبة من أوروبا وهذا يعطي مصر ميزات لا تحصل عليها دولة آسيوية ..

나) 요르단

(1) 日刊紙 Daily Newspaper

o 報道日字 : 90.11. 1. (木)

o 報道面 : 第4面, 3段 × 10 cm

o 題 目 : JORDANIAN-KOREAN FRIENDSHIP ASSOCIATION
HONOURS VISITING DELEGATION

LUNCHEON ATTENDED BY H.E. SECRETARY GENERAL
OF MINISTRY OF FOREIGN AFFAIRS AND A NUMBER
OF DIPLOMATS AND BUSINESSMEN

The Jordanian-Korean Friendship Association held yesterday
a luncheon banquet in honour of H.E. Mr. Yoo Chong Ha, Vice
Minister of the Ministry of Foreign Affairs of the Republic of
Korea and the accompanying delegation.

The banquet at the Jordan Intercontinental Hotel was at-
tended by His Excellency the Secretary General of the Ministry
of Foreign Affairs in Jordan, Mr. Mu'tasem Belbeisi, and the
staff of the Korean Embassy in Amman, and a number of diplomats
and businessmen.

95 - 75

0171

Mr.Yoo was received by President of the Jordanian-Korean Friendship Association, Mr. Zuhair Asfour and the Secretary General of the Association, Mr. Sami Gammoh.

During the lunch, they discussed the various issues concerning the economic and political cooperation between Jordan and Korea and the aspects of the future relations between the two countries.

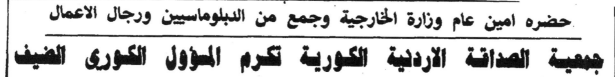

حضره امين عام وزارة الخارجية وجمع من الدبلوماسيين ورجال الاعمال

جمعية الصداقة الاردنية الكورية تكرم المسؤول الكوري الضيف

نائب وزير خارجية كوريا في حفل الغداء الذي اقامته جمعية الصداقة الاردنية الكورية

السيد زهير عصفور وامينها العام السيد سامي قموه وقد تشعب الحديث لمختلف جوانب التعاون الاقتصادي والسياسي بين الاردن وكوريا وآفاق العلاقات المستقبلية بين البلدين.

البلبيسي واعضاء السفارة الكورية وجمع من الدبلوماسيين ورجال الاعمال.

وكان في استقبال السيد يوسونغ رئيس جمعية الصداقة الاردنية

اقامت جمعية الصداقة الاردنية الكورة حفل غداء ظهر امس على شرف السيد يوسونغ نائب وزير خارجية كوريا تكريما له والوفد المرافق.

حضر الحفل في فندق الاردن امين عام وزارة الخارجية السيد معتصم

95 — 76

0172

(2) 日刊紙 **Dustour Newspaper**

- ○ 報道日字 : 90.11. 1. (木)

- ○ 報 道 面 : 第6面, 2段×9 *cm*

- ○ 題　　目 : SOFT LOANS AND GRANTS FROM KOREA TO JORDAN, ESTIMATED AT US$15 MILLIONS

Amman, Petra,

Dr. Khaled Amin Abdullah, Minister of Planning received in his office yesterday morning, Mr. Yoo Chong Ha, Vice Foreign Minister of the Republic of Korea and the accompanying delegation. The Minister displayed the current economic situation and the Jordanian economic situation in particular, in addition to Jordan's need for capital, technical and food assistances.

The Minister also described the importance to increase Korea's import of the Jordanian phosphate and potash.

95 — 77

0173

Mr. Yoo Chong Ha, Vice Foreign Minister who is also heading a delegation to Jordan said that Korean Government intends to offer soft loans to Jordan estimated at US$ 10,000,000 to finance certain developing projects which are to be agreed upon between both sides.

Also, the Korean Government will supply commodities produced in Korea to Jordan estimated at US$5 Millions as a grant.

The Jordanian side had submitted a list including the commodities and the equipments that are suggested to be brought to Jordan as part of this grant.

Furthermore, the Minister presented documents for projects to be discussed by the Korean side in preparation to agree on financing them from the said suggested loan.

95 — 78

0174

Jordan, South Korea discuss cooperation

AMMAN (J.T.) — His Royal Highness Crown Prince Hassan Wednesday voiced Jordan's appreciation to South Korea for its assistance to the Kingdom to help it overcome current economic difficulties resulting from the country's implementation of U.N. Security Council resolutions on the Gulf crisis.

Prince Hassan, who was speaking at a meeting with visiting South Korean Deputy Foreign Minister Yoo Chong- Ha, reviewed Jordan's stand since the beginning of the crisis.

Yoo voiced his country's understanding of Jordan's position and said that he and his accompanying delegation "are now better informed on the situation."

The two sides discussed Jordanian-Korean relations and ways of bolstering cooperation in various fields.

Earlier, at a meeting with Minister of Planning Khaled Amin Abdullah, Yoo had announced financial and in-kind assistance to Jordan. He said that Seoul would grant Jordan a $10 million soft loan which will be provided through the Economic Development and Cooperation Fund in South Korea, and a $5 million grant in the form of commodities at Jordan's request and according to its needs.

The meeting reviewed the present difficult economic situation in Jordan and Jordan's need of capital and technical and food assistance.

The minister asked South Korea to increase its imports of Jordan's phosphate and presented the South Koreans with a list of goods wanted in Jordan. He also submitted plans which could be financed through South Korean loan to Jordan.

Yoo and his eight-member delegation earlier met with the Foreign Ministry's secretary general and senior staff to review bilateral relations and the Gulf crisis.

Mutasem Bilbeisi outlined Jordan's stand with regard to the Gulf issue and Yoo expressed appreciation of Jordan's support for Korea's view at the United Nations concerning its membership in the world body.

Bilbeisi expressed Jordan's support for Seoul's views regarding the issue of unification with North Korea.

South Korea's Ambassador here Tae Jin Park attended all meetings.

Yoo, who goes on a sightseeing trip at Jordan's archaeological sites Thursday, said in a statement upon arrival that his discussions would cover issues of common concern to Jordan and South Korea. His visit, he said, would allow him a in-depth look at the Gulf crisis and its developments and consequences.

South Korea opposes the acquisition of foreign territories by force and its views are in line with the U.N. Security Council resolutions, Yoo said.

He also said that South Korea was sympathetic towards Jordan in view of the difficult circumstances it was going through and promised that his country would do all it can to alleviate the Kingdom's plight resulting from the Gulf crisis.

Yoo and his delegation are due to end their visit to Jordan on Friday evening.

95 — 79

0175

V. 參考資料

95 — 81

1 . 支援金額

（單位：萬弗）

	多國籍軍支援	周邊被害國支援	合　　　計
1990 年	9,500	7,500	17,000
1991 年	2,500	2,500	5,000
合　　　計	12,000	10,000	22,000

（ 1990 年度　支援　內譯 ）

支援內譯／國家	多國籍軍活動			周邊國 및 國際機構				計
	現　金	輸　送	軍需物資	EDCF	生必品	쌀	I O M	
美　　　國	5,000	3,000						8,000
이　집　트			700	1,500	800			3,000
터　　　키				1,500	500			2,000
요　르　단				1,000	500			1,500
시　리　아			600		400			1,000
모　로　코			200					200
방글라데시						500		500
I O M							50	50
行　政　費					50			50
豫　備　費					200	500		700
小　　　計	5,000	3,000	1,500	4,000	2,450	1,000	50	17,000
計	9,500			7,500				17,000

95 - 83

0177

2. 主要 統計 資料

(各國의 支援 計劃)

(單位：億弗)

	韓　　　國	日　　　本	西　　　獨
多 國 籍 軍 支 援	1.2	20.	12.5
周 邊 國 支 援	1.0	20.	7.9
合　　　　　計	2.2	40.	20.4
G N P 規　　模	2,100	28,337	12,008

(前線國家 豫想 被害額)

	터　키	이집트	요르단	合　　計
1 9 9 0 年	18	11	13	42
1 9 9 1 年	42	23	29	94
合　　　計	60	34	42	136
自 國 主 張 額	140	90	GNP 15%	

(多國籍軍 派兵 現況)

이　　집　　트	19,000 名
시　　리　　아	15,000 名
모　　로　　코	1,200 名
방 글 라 데 시	5,000 名
파 키 스 탄	2,000 名

95 — 84

0178

(支援 資金 計劃)

	供 與 國	使 用 計 劃	支 援 對 象
募 金 總 額 128 億	걸프國家 84 億 E C 22 億 日 本 20 億 其 他 2 億	90 年 91 億 91 年 37 億	前線 3 個國 52 億 其他國家 24 億 未 配 定 52 億

3. 財政支援 供與國 調整會議

가) 調整會議 槪要

1) 目 的

　o 中東 前線國家 (Front Line States) 等 걸프事態 被害國家에 대한 財政支援을 總括 調整

2) 構 成

　o 美, 韓, 日, 英, 獨, 佛, 카, 伊太利, EC, 사우디, 쿠웨이트, 카타르, UAE 等 14 個國家 및 國際機構 參加

　o 美 財務次官 (Mulford) 과 國務部 政務次官 (Kimmitt) 이 共同議長職 遂行

95 — 85

0179

○　IMF　및　IBRD는　技術的　助言　및　分析等　支援

3）組織　및　運營機能

　　○　全體會議

　　　　—　參加國　財務部　및　外務部　代表로　構成

　　　　—　受援國게　대한　援助支援　調整運營（政治的　考慮　併行）

　　　　—　財政支援　需要　增加의　分析, 評價

　　　　—　受援國의　援助　使用　監督

　　○　實務會議

　　　　—　全體會議에서　提起된　詳細事項에　대한　意見交換

　　　　—　Dallara　財務部　國際擔當　次官補　主宰

　　　　—　我國, 駐美　大使館　經濟參事官　및　財務官　參席

　　○　事　務　局

　　　　—　IMF와　IBRD를　事務局으로　活用

　　　　—　技術的이고　分析的인　支援　局限

나）第1次　會議　開催（9.26）　結果

○　具體的　方案　推進에　있어　融通性　賦與（公式的, 常設機構　性格
止揚）

95 － 86

0180

○ 前線國家 範圍를 우선 이집트, 터키, 요르단 3國으로 局限

○ 支援時期는 短期的으로 90年末까지, 中期的으로 91年까지 區分

다) 第2次 會議(10.12) 結果

1) 參席現況

○ 사우디, 쿠웨이트, UAE, 카타르等 Gulf 國家, 프랑스, 벨지움, 獨逸, 伊太利, 화란, 英國等 EC 諸國, 스웨덴, 스위스, 日本, 카나다 및 我國 代表等 17個國 代表가 參席

○ 美側, 國務部側 共同議長을 McCormack 經濟次官에서 Robert M. Kimmitt 政務次官으로 交替

2) 主要 討議 內容

○ Dallara 次官補, 前線國家 財政 被害狀況 算出 結果報告

— IMF, IBRD 代表 被害狀況 算出 現況 說明

— 算出額 142 億弗

○ EC 代表, 前線國家 被害額을 90 億弗로 算出, IMF, IBRD 側 算出額 142 億弗에 異見開陳

○ 各國別 周邊國 支援 內容에 대한 各國 代表의 發言

95 - 87

0181

3) 我國代表 發言 要旨

○ 支援 對象國으로 3個 前線國家 以外에 시리아, 방글라데쉬, 파키스탄 包含 考慮 豫定

○ 今番 我國政府의 支援 決定은 經濟的이기 보다는 政治的 결단으로 이루어 졌으며 이는 韓國戰時 集團安保 支援 惠擇을 본 國家로서 이에 보답한다는 次元에서 諸般 國內의 어려운 사정에도 불구 最大限의 支援 決定을 내리게 되었음을 强調

○ 이에 대해 Mulford 次官은 韓國이 UN 等의 도움으로 침략을 成功的으로 克服하여 금번에는 他國을 도우는 成功的 事例가 되었다하고 我國 政府의 支援에 謝意를 表示

라) 第3次 會議

1) 一般事項

○ 開催日字 : 90.11.5.

○ 開催場所 : 로마 (伊太利 國庫省)

○ 參 席 : 25個國, 4個國際機構 代表

○ 我側參席 : 權丙鉉 本部大使外 4名

95 - 88

0182

2) 主要　討議　事項

  ○　美側　發言　主要事項

    ―　이라크　原油　輸出　禁止로　150 億弗　損失

    ―　輸入도　10％　以下로　減少되어　이라크軍　困境

    ―　3,000 餘隻의　船舶이　封鎖　對象（이중　315 隻을　乘船　搜索）

    ―　요르단의　經濟制裁措置　參與　만족　水準

    ―　시리아, 모로코의　重要한　協調（사우디, 시리아에　대한　援助
       의　重要性　强調）

    ―　이집트　부채　탕감위해　Paris Club과　協調, 別途　會議　제
       의（EC　및　日本, 對이집트　負債蕩減　强力　留保）

  ○　我國代表　發言　內容

    ―　我國　支援　內譯　發表

    ―　90 年　支援　早期　履行을　위해　外務次官을　團長으로한　高
       位代表團　前線國家　訪問中임　說明

  ○　財政　支援　資金　內譯　討議（統計는　앞장　參照）

95 ― 89

0183

4. 支援可能　品目明細書

（ 1990.12.31.限　支援可能品目 ）

番號	品　　　　目	I T E M	SPECIFICATION
1	織　　　　物	POLYESTER WOVEN FABRIC	P.E.
2	타　이　어	TYRE	TRUCK, BUS & PASSENGER CAR
3	複　寫　機	ELECTRONIC COPY MACHINE	FT 46000 & OTHERS
4	팩　시　밀　리	FACSIMILE	—
5	타　자　기	ELECTRONIC TYPEWRITER	DMB
6	電　話　器	TELEPHONE	SS 1800
7	텔　레　비　젼	COLOR TV	20″
8	冷　藏　庫	REFRIGERATIOR	SR-271
9	라　디　오	RADIO	ARC 191 & OTHERS
10	자　전　거	BICYCLE	T-26，5-SPEED
11	세　탁　비　누	LAUNDRY SOAPS	300 G
12	화　장　비　누	TOILET SOAPS	110 G
13	설　　　　탕	WHITE REFINED SUGAG	30KG

95 ― 90

0184

番號	品 目	I T E M	SPECIFICATION
14	밀 가 루	WHEAT FLOUR	−
15	종 이	PAPER	ART PAPER
16	食品 (통조림)	CANNED PRODUCTS	CAN
17	라 면	INSTANT NOODLES	−
18	신발 (運動靴)	SHOES	P.U.
19	廚 房 用 品	KITCHENWARE	STAINLESS, ALUMINIUM
20	화 장 지	TOILET PAPER	102MM X 35MM 2 PLY
21	치 솔	TOOTH BRUSH	−
22	치 약	TOOTH PASTE	−
23	올 리 브 로 션	OLIVE LOTION	−
24	면 도 기	RAZOR	−
25	라 이 타	CIGARETTE LIGHTER	−
26	만 년 필	PEN & PENCIL	−
27	랜 턴	LANTERN	−
28	건 전 지	DRYCELL BATTERY	R 20(M)/DM
29	정 수 기	MINERAL POT	−
30	매 트	CAMPING MAT	−

95 ― 91

0185

番號	品 目	I T E M	SPECIFICATION
31	차 양 막	SUNSHADE SHEET	2MM X 60M X 160 M X 150MM
32	內 衣	RUNNING SHIRTS	-
33	양 말	SOCKS	-
34	스 타 킹	STOCKING	-
35	타 올	TOWEL	-
36	모 포	BLANKET	MINK
37	醫 藥 品 (주 사 제)	MEDICINE [INJECTION]	ANESTHETIC, ANTIBIOTIC, ANTIPYRETIC ANALGESIC, ANTIPHLOGISTIG ETC
38	醫 藥 品 (정 제)	MEDICINE [TAB]	ANTIDOTE, ANTIBIOTIC, ANTIPYERTIC ANALGESIC, ANTIPHLOGISTIC ETC
39	구 급 함 (家 庭 用)	MEDICAL HOME KIT	-
40	앰 블 란 스	AMBULANCE	BESTA
41	미 니 버 스	MINI BUS	BESTA 12 PERSONS
42	미 니 버 스	MINI BUS	COMBI 25 PERSONS
43	오 토 바 이	MOTOR CYCLE	50 CC

95 - 92

0186

番號	品　　　　目	I T E M	SPECIFICATION
44	기　중　기	FORK LIFT	1.5 TON & OTHERS
45	발　굴　기	EXCAVATOR	SE 40 W
46	적　화　기	LOADER	SL 10
47	불　도　저	DOZER	SD 15 P
48	發　電　機	GENERATOR	145 KW & OTHERS
49	양　수　기	WATER PUMP	100 MM & OTHERS
50	정　수　장　비	WATER PURIFICATION UNIT	MD 1500-1990
51	경　운　기	POWER TILLER	10 HP
52	트　　　럭	TRUCK	1 TON
53	카　고　트　럭	CARGO TRUCK	4 X 4, 3 TON
54	철　　　사	STEEL WIRE & OTHERS	DIA 1/2" & OTHERS
55	야　전　선	FIELD TELEPHONE WIRE	--
56	消　火　器	FIRE EXTINGUISHER	3.3 KG & OTEHRS
57	X-RAY 器機	X-RAY EQUIPMENT	HB 100M
58	초 음 파 기 기	ULTRA SOUND SCANNER	SONAR ACE-4500
59	마　취　기	ANESTHETIC APPARATUS	MINI 7 & OTHERS
60	수 술 용 모 니 터	ECG MONITOR	CS 502 H

95 - 93

0187

番號	品　　　　　目	I T E M	SPECIFICATION
61	수술실장비일체	OPERATION EQUIPMENT	-
62	기타의료기기	GENERAL MEDICAL EQUIPMENT	50 SICK BED
63	軍　　　服	CAMOUFLAGE UNIFORM, FATIGUE UNIFORE	T/C 65/35
64	야 전 잠 바	FIELD JACKETS	T/C 65/35
65	軍用外衣類	MILITARY OUTER GARMENTS	-
66	軍　靴　類	COMBAT BOOTS	-
67	헬　　　멧	NRP BALUSTIC HELMET	NYLON REINFORCED PLASTIC
68	텐　트　류	TENT	NYLON OR COTTON
69	배　　　낭	FIELD PACK[MEDIUM]	NYLON
70	DUFFLE BAG	DUFFLE BAG	NYLON & OTHERS
71	군 용 모 포	MILITARY BLANKET	WOOL & OTHERS
72	들　　　깃	LIFTER	ALUMINIUM
73	방 탄 복	MILITARY ARMOR BODY	-
74	PONCHO	PONCHO	NYLON, TAFFETA
75	야전삽, 곡괭이	SHOVEL, MATTOK	STEEL
76	수　　　통	WATER CANTEEN	PLASIC
77	삽피 , 수통피	SHOVEL COVER, CANTEEN COVER	NYLON

95 - 94

0188

番號	品 目	I T E M	SPECIFICATION
78	탄 입 대	AMMUNITION POUCH	NYLON OR COTTON
79	PISTOL BELT	PISTOL BELT	NYLON
80	軍用 TOWEL	MILITARY TOWEL	COTTON
81	軍 用 양 말	MILITARY SOCKS	WOOL & OTHERS
82	SAND BAG	SAND BAG	P.P.
83	침 투 보 호 의	NBC SUIT	-

95 - 95

0189

1990 년 11 월 14 일 30 부 발간	
발간업체	**주식회사 법 신 사** 전화 720—9787—9
대 표 자	권 태 식
인가근거	조내이 01716—27005호(89. 9. 2)
참 여 자	외 무 부 : 마 그 레 브 과
	김 은 석
예 고 문	발행부서 : 1991. 12. 31. 일반문서로재분류
	접수부서 : 1991. 12. 31. 일반문서로재분류

0190

걸프사태 관련 피해국 지원업무 협의

○ 일   시 : 90. 12. 19 (수) 15:00

○ 장   소 : 중동아국장실

○ 주   재 : 이혜순 중동아국장

○ 참 석 자

  - 양태규 중동아국 심의관

  - 조일환 북미과장

  - 김의기 중근동과장

  - 신국호 마그레브과장

  - 한화길 경협 2과장

  - 정달호 법무담당관

  - 김수동 기획예산담당관

  - 김의식 경리계장

  - 허덕행 마그레브과 서기관

※ 첨부

  - 토의의제

  - 집행절차 검토서

  - 지원업무 추진현황

0191

토 의 할 사 항

1. 예산배정 현황

2. 예산집행절차
   ○ 수의계약 가능여부
   ○ 특정업체 지정여부
   ○ 계약서안 검토
   ○ 계약서 서명자

3. 예산이월 가능여부

4. 기본결재(상기 1~4항 원칙 확정)

5. 청와대 보고 또는 재가

6. 관계부처 대책회의 개최여부

0192

7. 구체집행사항 검토

  ㅇ 이집트 군수전문가단 방한

  ㅇ 이집트 주민등록전산화 사업에의 전용

  ㅇ 터키 EDCF 자금에 의한 상수도용 파이프 구입 문제

  ㅇ 요르단 쌀 지원 문제

  ㅇ 정부보유미 쌀 지원문제(방글라데시)

  ㅇ 유네스코 특별교육비 지원문제

  ㅇ IOM 50만불 지원문제

  ㅇ 시리아 지원비 처리문제

  ㅇ 예비비 처리문제(생필품 200만불, 쌀 500만불)

  ㅇ 행정비중 특별활동비 문제

8. 업무분담

  - 예산신청, 집행점검, 총괄조정

  - 계약서안 검토등 집행절차 검토

  - 미국에 대한 지원집행

  - 중동국가 물자지원 집행

  - 중동국가 EDCF 지원집행

  - IOM, UNESCO 지원집행

  - 쌀지원 문제

  - 예비비, 행정비 집행 점검

예 산 집 행 상 검 토 사 항

1. 물품송부 계약체결 관련사항

   가) 수의계약 체결여부

   - 예산회계법 76조 2, 3항 (긴급시 및 비밀유지 필요성)에
     의한 수의계약 가능여부

   나) 수의계약 가능시 특정업체 지정

   - 대개도국 무상원조 지정업체인 고려무역(주) 지정 가능여부

   다) 계약서

   - 대개도국 무상원조시 표본계약서를 일부 수정한 계약서에
     대한 검토

2. 예산집행상 문제점

   가) 넌내 미집행 발생 가능성

   ㅇ 지원대상국가들의 행정능력 미비로 인한 희망품목 제시 지체

   ㅇ 미수교상태로 인한 교섭곤란의 불가피성(시리아)

   ㅇ 예산 배정시기 지연

0194

나) 91년도 이월집행시 긍정적 측면

    ㅇ 최소한의 경비로 최대한의 외교적 성과를 거양키위해

      동 사업집행의 장기화가 불리하지는 않음.

    ㅇ 특히 미수교국인 이집트, 시리아와의 수교추진상 내년까지

      장기적으로 처리하는것도 바람직함.

0195

대행업체지정 사유 및 계약서 요지

1. 지정사유

　가. 대개도국 무상원조품 지원대행업체로 (주) 고려무역 지정(86.5. 재가득)

　나. 대한무역진흥공사의 산하업체로서 대외공신력이 큼.

　다. 1개업체를 대상으로 함에따라 지원관련 비밀유지, 긴급지원의 신속한
　　　실시등 업무효율화 및 능률화 도모

　라. 지원품 수출업체에 대한 관리통제 가능

　마. 원조물자 통관 및 제반문제 발생시 KOTRA 무역관 활용 가능

2. 계약서 요지

　가. 계약서 서명권자

　　　o 외 무 부 : 장기호 총무과장

　　　o 고려무역 : 대표이사 전무 고일납

0196

나. 물품수출가격

　ㅇ 고려무역이 국내생산업체로 부터 접수받은 FOB 수출가격에 2%의
　　대행수수료 적용

　　- 국내생산업체의 견적서 및 원가계산서 첨부, 과다 견적소지
　　　사전방지

다. 대금결제방식

　ㅇ 선적급 방식(Cash Against Document)으로 후불결제

라. 계약기간

　ㅇ 1년

0197

	정 리 보 존 문 서 목 록				
기록물종류	일반공문서철	**등록번호**	2020110075	**등록일자**	2020-11-18
분류번호	721.1	**국가코드**	XF	**보존기간**	영구
명 칭	걸프사태: 주변국 지원, 1990-92. 전12권				
생 산 과	중동2과/북미1과	**생산년도**	1990~1992	**담당그룹**	
권 차 명	V.2 정부조사단 중동 및 터키 순방, 1990.10.27-11.8: 자료				
내용목차	* 단장: 유종하 외무차관 * 일정: 　10.28-31 이집트 　10.31-11.2 요르단 　11.2-5 시리아 　11.5-6 터키 * 페르시아만 사태 관련 다국적 파견국 및 주변 피해국 지원 문제 협의 및 이집트,시리아와의 수교 추진				

0001

페르시아灣 事態가 國際 情勢에 미치는 影響 및

我國의 支援 計劃

(受援國 巡訪時 共通 資料)

1990. 10.

검토필 (1990. 12. 31.)

검토필 (1991. 6. 30.)

美 洲 局

0002

目　　次

0003

I. 페르시아灣 事態가 國際情勢에 미치는 影響

1. 全世界的 次元

(政治.軍事的 影響)

o 페르시아灣 事態는 脫 冷戰 時代(post-cold war)의 地域 紛爭
  解決의 모델 케이스로서 重大한 意味
  - 現在 美.蘇間에는 페灣 事態에 대한 具體的인 對應方法案에
    관해 다소 見解 차가 있으나 UN을 중심으로한 事態의 조기
    해결이라는 共通의 立場 堅持

o 새로운 國際 體制內에서의 美.蘇 協力의 신유형을 摸索하는 중요한
  契機로 作用 豫想
  - 美.蘇 兩國은 現 國際 秩序의 攪亂 要因으로 作用할 地域 紛爭을
    積極 抑制하는 한편, 紛爭 發生時 이의 平和的 解決에 共同 努力
  - 美.蘇 兩國間의 地域 紛爭 解決을 위한 協力 基調는 앞으로도
    維持될 展望

o 美國은 現狀況을 脫冷戰 時代에 있어 美國의 世界 秩序 主導權을
  再確認하는 契機로 活用

1

0005

o 軍事的으로는 現在 美.蘇間 및 유럽 地域에 국한되어 적극 追求
  되고 있는 軍縮 協商을 中東이나 東北亞 等 여타 紛爭可能 地域에도
  擴散할 必要性 提高

o 반면, 이번 事態로 인해 제3세계 國家는 新데탕트 體制에서의
  自國의 安保를 위한 軍事力 維持의 必要性을 절감, 軍備 競爭을
  觸發할 可能性도 있음.

(經濟的 影響)

o 油價 引上의 影響은 各國들의 生産과 貿易에 否定的인 影響을
  招來, 世界 經濟의 沈滯로 連結될 展望. 특히 東歐圈에 대해서는
  經濟 改革의 方向과 速度에도 深大한 影響 招來 豫想

o 短期的으로 産油國들의 經濟에는 肯定的으로 作用할 것이지만
  韓國等 非 産油國, 특히 技術 開發, 産業 構造 調整이 微弱한
  非産油 開途國들에 대한 打擊은 막대

2

0006

2. 韓半島를 둘러싼 東北亞 地域에서 主要國家의 戰略 變化

美 國

ㅇ 美國은 이번 事態로 인해 海外 前進基地를 통한 地域 安定 維持라는
  旣存의 前進 配置 戰略의 重要性을 더욱 깊이 認識
   - 東北亞 地域의 前進 配置 戰略을 당분간 維持할 可能性 高潮

ㅇ 또한 美·蘇間의 軍縮 推進 等에도 불구하고 世界 到處의 紛爭
  위협 可能性에 비추어 美國의 軍事力 減縮에 대한 愼重論 부상 豫想

蘇聯 및 中國

ㅇ 蘇聯이나 中國 等은 産油國으로서 이번 事態로 인한 石油價의
  高率 引上으로 外貨 獲得에 도움
   - 蘇聯의 경우 年間 原油 輸出量이 10億 배럴 以上(88년)이 되므로,
     1달러 引上時 10億 달러 以上의 收入 增大 効果

日 本

ㅇ 이번 事態를 契機로 資源 外交를 強化하고 日本의 經濟力에 상응
  하는 國際 舞臺에서의 政治, 外交的 役割 提高 機會로 活用

3   0007

- 日本 自衛隊의 海外 派兵 근거 마련을 위한 유엔 平和協力法
  立法 推進

- 카이후 首相의 中東地域 巡訪

0008

4

Ⅱ. 페르시아灣 事態에 대한 美國의 戰略

0009

1. 페르시아灣 事態의 部分的 解決 排除

ㅇ 부쉬 大統領 및 베이커 國務長官 等 기회있을 때마다 事態의 部分的
    解決 및 妥協 拒否

```
┌────── * 페灣 事態에 대한 美國의 4대 政策 目標 ──────┐
│                                                      │
│   - 쿠웨이트로 부터 이라크軍의 卽刻的이고 完全한 無條件的인   │
│     撤收 實現                                          │
│   - 事態 以前의 쿠웨이트 合法 政府의 復歸                  │
│   - 이라크 및 쿠웨이트 殘留 美國人의 生命 保護             │
│   -(페르시아灣 安保와 安定 確保)                         │
│                                                      │
└──────────────────────────────────────────────────────┘
```

追加   NYT.
① Arab 早程も.
② 圭軍海岸 및 地海
③ 9u Iraq 空爆
④ 卽成佔土紛爭
   解決

ㅇ 軍事的 解決 方案 繼續 檢討
    - 脫冷戰 時代 新秩序 確立이라는 美國의 戰略 目標에 비추어
      美國의 전기4대 目標 撤回 및 妥協의 어려움
    - 事態의 外交的 수습시 계속되는 이라크의 軍事的 威脅 및 야심
      除去의 어려움

5

0010

- 걸프灣 事態가 長期化될 경우, 美國 經濟에 미치는 否定的 影響

  * 美國은 現在 兵力 23만명, 함정 43척, 전술기 800대, 탱크 900대
    派遣中 (10.25. 체니 國防長官은 美國이 向後 페르시아灣에
    10만명 정도의 兵力을 追加 派兵할 것임을 言明)

2. 地域安保 體制 構築

  ° 美軍의 걸프灣 地域 長期 駐屯 可能性 檢討

    - 단, 地上軍 駐屯時 豫想되는 反美 아랍 民族主義 觸發 등 문제점을
      고려, 海軍 위주 配置

  ° 보다 長期的인 次元에서 아랍지역 國家의 經濟 復興을 통한 地域 情勢
    安定化 圖謀

    - "중동판 Marshall Plan" 推進 檢討

    - 前線國家 財政 支援 調整 그룹(Gulf Crisis Financial
      Coordination Group) 構成

      · 美 國務部 政務次官 및 財務部 次官이 共同 議長

      · 財政 支援 統合 計定 設置 및 調整 機能 부여

      · 前線國家에 대한 政治的 leverage 繼續 維持 手段

걸프사태 : 주변국 지원, 1990-92. 전12권 (V.2 정부조사단 중동 및 터키 순방, 1990.10.27-11.8: 자료) 215

※ 페灣 事態 關聯 美.蘇間 立場 比較

區　分	美　國	蘇　聯
各國 協力 體制	- 美.蘇 協力 重視 - 原油의 自由로운 輸送과 防衛의 惠澤을 받는 國家들에 分擔金 提供을 要求	- 유엔 役割 重視 - 國際聯合軍이 結成되면 資金支援 및 兵力을 派遣할 方針임을 公言. 美軍도 國際聯合軍의 一員으로 參與 主張
多國籍軍의 役割	- 事態를 平和的으로 解決하기 위한 것 - 先制攻擊은 않겠지만 攻擊을 받을 境遇 强力하게 對應할 것임을 闡明	- 多國籍軍의 軍事 行動에 參與할 計劃이 없다고 公言 - 다만 經濟 制裁 措置가 效果가 없을시 유엔 旗幟下 軍事的 措置 考慮意思 表明
유엔의 役割	- 유엔의 限定的 武力 行使 承認 決議案은 이라크의 쿠웨이트 撤收를 實現시키라는 世界의 決意로 해석	- 유엔 산하 國際機構를 통해 對이라크 制裁의 監視와 實踐을 監督해야 한다고 主張

7　　　　　　　0012

區　分	美　國	蘇　聯
폐灣 安保問題	- 폐灣 安定維持에 있어 美國의 役割을 대신할 勢力이 없다고 主張 - 쿠웨이트가 原象回復된 뒤에도 美軍의 駐屯 必要 立場 (단, 부쉬 大統領은 폐灣事態 解決時 美軍撤收 方針을 그르바쵸프에게 約束)	- 아랍의 自體的 解決 主張 - 폐灣 事態 解決時 美軍의 사우디아라비아 반도 撤收 主張
中東 軍事協力	- 이집트의 對美 武器 購入資金 70억달러 免除 措置와 사우디에 武器 販賣等 軍事協力 强化	- 이라크에 대한 武器 供給 中斷 및 軍事 顧問 撤收 等 軍事 協力 關係 後退

8　　　　　　　　0013

III. 我國의 支援 計劃

0014

1. 美側 支援 要請

o 브레디 美 財務長官 訪韓時 支援要請(9.7. 盧泰愚 大統領 禮訪時)

(單位 : 億弗)

年 度 支援區分	'90	'91	計
多國籍軍 活動 支援	1.5	-	1.5
周邊國 經濟支援	1.0	1.0	2.0

* 美側은 向後 1年동안 總 230億弗이 所要될 것으로 豫想

o 美側, 駐韓 美大使를 통해 軍 醫療團 派遣 檢討 要望

9

0015

2. 我側 支援 決定時 考慮事項

(安保的 側面)

ㅇ 武力에 의한 領土紛爭 解決 企圖 不容
  - 韓半島 有事時 國際社會의 支援 및 共同介入 先例 確立

ㅇ 韓.美 安保協力 關係 持續

(外交的 側面)

ㅇ 유엔 安保理 決議 遵守

ㅇ 韓國戰時 集團措置 受惠國으로서의 道義的 義務

ㅇ 我國의 伸張된 國威에 副應한 國際平和 維持 努力에 一翼 擔當
  - 90.8.13. 쿠웨이트 國王, 盧 大統領앞 書翰을 통해 이라크에 대한
    經濟 制裁 措置의 실효를 거두기 위한 軍事的, 經濟的 諸般 支援 要請

ㅇ 中東 地域内 周邊 被害國들과의 友好關係 增進

(經濟.通商 側面)

ㅇ 我國은 89年度 46億 8,553万弗 相當의 原油를 導入하였는바 中東事態로
  인하여 油價가 不安定하게 되는 境遇 우리의 經濟에 주는 打擊은 莫甚

10   0016

- 油價 1弗 引下時 年間 原油 導入額에서 3億 3,000万弗이 節減(原油가 10弗 安定되면 33億弗이 節減)

- 今年 上半期 平均 油價가 1배럴당 16.5弗이었으나 서부 텍사스 중질유의 경우 10.25. 현재 31.08弗까지 上昇

- 我國의 對中東 原油 依存度는 74%

ㅇ 페르시아湾 事態의 早速한 解決은 我國의 安定된 原油 供給 確保 및 建設等 經濟進出에도 不可缺한 條件

11   0017

3. 我國의 支援 內容

가. | 總支援 規模 |

° 我國의 現 安保狀況 및 經濟 能力을 감안하여 總 2億 2千万弗을 支援함

(單位 : 億弗)

國 別 支援區分	韓 國	日 本	西 獨
多國籍軍 活動 支援	1.2	20	12.5
周邊國 經濟 支援	1	20	7.9
計	2.2	40(18배)	20.4(9배)

* 89年度 GNP 規模(億弗)

韓國 : 2,101, 日本 : 28,337(13.5배), 西獨 12,008(5.7배)

나. 支援 內譯

1) 90 年

(單位 : 万弗)

支援內譯 國別	多國籍軍 活動			周邊國 및 國際機構				計	비고
	現金	輸送	軍需物資	EDCF	生必品	쌀	IOM		
美 國	5,000	3,000						8,000	
이집트			700	1,500	800			3,000	
터 키				1,500	500			2,000	
요르단				1,000	500			1,500	
방글라데시						500		500	
시리아			600		400			1,000	
모로코			200					200	
I O M							50	50	
其他(行政費)					50			50	
豫備					200	500		700	
小 計	5,000	3,000	1,500	4,000	2,450	1,000	50	17,000	
計	9,500			7,500				17,000	

13

0019

2) 91 年

(單位：万弗)

	多國籍軍 活動	周 邊 國	計
支援 規模	2,500	2,500	5,000

다. 支援 對象 國家 및 規模 決定時 考慮事項

ㅇ 美側은 我國의 支援 對象國 選定 및 支援 規模 決定에 대해 理解 表示
   - 修交 目的을 위한 對시리아 援助 方針 等

ㅇ 調査團 派遣 等 追加經費는 原則的으로 支援費內에서 支出하기 위하여
   生必品 支援 部分中 50万弗을 行政 經費로 確保
   - 美國側에 이미 通報, 異議提起 없었음.

ㅇ 輸送經費는 各國別 支援額에 包含

ㅇ 多國籍軍 活動에 대한 寄與度 및 修交 基盤 造成 等 外交的 必要性을
   감안, 이집트 및 시리아에 대한 特別 考慮

14

```
┌───────────── * 國別 派兵 現況 ─────────────┐
│                                                     │
│   - 이 집 트  :  19,000名                            │
│   - 시 리 아  :  15,000名                            │
│   - 모 로 코  :   1,200名                            │
│   - 방글라데시 :   5,000名                            │
│   - 파키스탄  :   2,000名                            │
│                                                     │
└─────────────────────────────────────────────────────┘
```

ㅇ 對이라크 經濟 制裁 措置 參與로 인한 經濟的 被害 狀況을 감안, 周邊
3個 前線國家에 重點 援助

```
┌───────────── * 前線國家 豫想 被害額 ─────────────┐
│                                                       │
│   '90 年  :  總 41億弗                                 │
│             (터키 17, 이집트 11, 요르단 13)             │
│   '91 年  :  總 94億弗                                 │
│             (터키 42, 이집트 23, 요르단 29)             │
│                                                       │
└───────────────────────────────────────────────────────┘
```

- 이 집 트 : 軍需物資 700万弗, EDCF 1,500万弗, 생필품 800万弗
             (總 3,000万弗)

- 터   키 : EDCF 1,500万弗, 生必品 500万弗 (總 2,000万弗)

- 요 르 단 : EDCF 1,000万弗, 生必品 500万弗 (總 1,500万弗)

걸프사태 : 주변국 지원, 1990-92. 전12권 (V.2 정부조사단 중동 및 터키 순방, 1990.10.27-11.8: 자료) 225

ㅇ 我國에 대한 支援 要請 與否

   - 필 리 핀 : 쿠웨이트 및 이라크內 필리핀 勤勞者(1万名) 本國 緊急

                撤收를 위한 支援 要請(民間 航空機 無償 提供 要請)

   - 방글라데시 : 現金 援助 또는 自國 勤勞者 送還을 위한 航空機 및 船舶

                支援, 國際機構에의 難民 撤收 基金 支援 要請

                (被害額 5億9千2百万弗 主張)

   - 파키스탄   : EDCF 支援 要請

ㅇ 我國과의 旣存의 友好 協力 關係

ㅇ 中東地域 國家의 境遇, 對象國家가 同 地域에서 갖고 있는 影響力 정도

16

0022

Ⅳ. 對美 主要 協議事項

0023

1. 現金 支援

   o 美 國防部는 當初 友邦國으로 부터의 多國籍軍 活動 支援金을 國防
     獻金에 編入, 議會의 承認없이 執行코자 하였으나 美 議會가 이러한
     節次를 拒否함에 따라 美 議會의 支出 承認이 있을때 까지 일단 友邦國
     으로부터의 支援金을 國防協力基金 口座(Defense Cooperation Account)에
     入金, 管理 豫定임.

   o 美 國防部는 10.16. 國防 協力基金 口座로의 入金 節次 案內文을
     駐美 大使館을 통해 我側에 傳達

2. 輸送 支援

   o 航空 輸送 支援 爲主(週 2 回以內)
     - 船舶 輸送(月 1回 정도)

   o 總額 3,000万弗의 範圍內에서 91.3까지 美側 要請에 따라 柔然性
     있게 支援

0024

17

3. 軍需物資 支援

○ 美側은 我國 政府가 支援 對象國과의 直接 協議를 통해 具體 執行 計劃을
  確定 執行하기를 希望

  - 美側, 大規模的인 自體 軍需支援으로 奔走, 仲介者 役割 受任 困難
    表明

○ 美側은 受援國이 我側 支援 物品을 拒否時 美側과 再協議를 통해 다른
  受援國을 물색해 줄 것을 希望

○ 駐韓美軍 司令部와 我國 國防部間 緊密 協議 希望

4. 軍 醫療團 派遣

가. 對美 交涉 事項

  ○ 軍 醫療陣 配置場所 및 派遣期間
  ○ 指揮 體系 및 診療 對象
  ○ Camp 位置 및 警戒要員 必要性 與否
  ○ 醫療 補給品(藥品, 醫療品) 支援 擔當國
  ○ 駐屯 地位 問題

12   0025

ㅇ 軍 醫療團員의 衣.食.住 問題

ㅇ 病院 施設 問題

ㅇ 對美 協調 窓口

나. 對策班長 訪美時 協議 結果

ㅇ 我側은 軍醫療團 派遣, 駐屯 및 補給 經費를 美側 또는 사우디
政府가 負擔해 줄 것을 要請

ㅇ 美側, 複雜하고 微妙한 問題이므로 深思熟考後 美側 立場 通報
豫定이라 言明
- 事態 進展에 따른 必要 發生時까지 保留 可能性 濃厚

ㅇ 上記 美側 立場에 비추어 我國이 積極的으로 派遣 推進 不要

＊ 美側이 我國에 軍 醫療團 派遣을 要請한 것은 武力 衝突 事態
發生에 對備, 美軍 以外의 多國籍軍에 대한 醫療支援을 하기 위한
것으로 觀測됨.

19

00261

5. ┃ 쌀 支援 問題 ┃

가. 對策班長 訪美時 協議 內容

(Dallara 財務部 國際擔當 次官補)

　o 美 農務部은 쌀 等 食糧 援助의 境遇, 世界 食糧 市場의 攪亂 可能性을
　　憂慮 1) 人道的 考慮에 따른 支援에 限하고 2) 受援國의 食糧 市場
　　에서 실제 不足 狀況이 發生하는 境遇에 限 한다는 立場을 취하는 등
　　쌀 支援 問題가 매우 민감한 事案임을 지적

　o 我側은 同 支援이 순수 人道的 考慮에 의한 支援임을 強調하고
　　美側 不願時 쌀 支援 自體를 撤回할 수 밖에 없다는 立場 表明

　o 美側은 韓國支援의 象徵的 意味를 감안, 向後 緊密한 協議를 통한
　　圓滿한 解決 希望 表示

나. 美側 立場 變更

(Weingarten 國務部 食糧 政策 課長)

　o 미측은 前線國에 대한 食糧 援助 關聯, 美側 公式 立場을 駐美
　　大使舘에 通報

20

0027

- FAO의 剩餘 農産物 處理 小委員會(Consultative Subcommittee on Surplus Disposal)와 協議, 關係 規程에 따를것

- 人道的이고 實質的 不足分에 한하며, 運送費는 韓國이 負擔하여 줄 것

- 美側 計算에 의한 現在 前線國家 不足分은 最大 5,000톤
  - 그 이상의 援助 경우, 剩餘分이 現金化되어 國際市場 攪亂 可能性이 濃厚하므로 自制 必要

ㅇ 美國內 米穀 生産業者들의 반대를 감안, 쌀 援助 部分 1,000万弗의 現金 또는 여타 現物 支援으로의 交替 可能性 問議
  - 我側은 交替 考慮 不可 立場 通報

6. | 未消盡 對美 纖維쿼타 對터키 割愛 問題 |

  가. 美側의 要請 經緯

  ㅇ 9.17. Sorini USTR 纖維協商 代表, 商工部 通商協力官 訪美時 韓國의 未消盡 對美 纖維쿼타를 터키에 割愛해 줄 것을 要請

  ㅇ 9.25. Brady 財務長官, 워싱턴 開催 第45次 IMF/IBRD 總會期間中 我國 財務長官에게 同一 要請

21   0028

ㅇ 10.11. 財務部 Dallara 次官補, 페湾 周邊國 支援 韓.美 協議時
  권병현 大使에게 同一 要請

＊ 9.26. 美- 터키 兩國 頂上會談時, 페湾 事態 周邊國 支援策의 一環으로
  터키의 對美 纖維 輸出 쿼타 增量 論議

나. 對應 方向

ㅇ 一次的으로 對美 纖維 쿼타 運用 擔當部處(商工部) 주관하에 對美
  協議를 추진, 상기 纖維쿼타 割愛의 問題点 說明 및 이에 대한 미측
  理解 促求 (美 國務部 Fauver 副次官補, USTR Kristoff 代表補의
  APEC/SOM 會議 參席次 訪韓 機會 利用)

ㅇ 上記 協議後 美側 要請을 受容하게 되는 경우에는 我國 政府의 페湾
  事態 關聯 支援 方案과 連繫하여 檢討

22   0029

添附 : 1. 유엔 安保理 決議 660호 및 661호에 따른 我國의 措置

2. 폐灣 事態 支援 政府 發表文(國.英文)

3. 日本.西獨과 我國의 國力 對比

4. 各國의 支援 現況

0030

유엔 安保理 決議 660호 및 661호에 따른 我國의 措置

1. 이라크.쿠웨이트 事態에 관한 外務部 代辯人 聲明(8.2.)

   가. 유엔 安保理 決議 660호(8.2)에 副應한 我國 政府의 最初 措置

   나. 內 容

     ˙ 大韓民國 政府는 이라크 軍隊에 의한 쿠웨이트 領土內에서의 軍事的
       行動과 관련한 걸프 地域內의 事態 進展에 대하여 깊은 憂慮를 表明한다.

     ˙ 大韓民國은 이라크 및 쿠웨이트와 다같이 友好的 關係를 維持하고 있는
       바, 兩國間의 紛爭이 武力이 아닌 平和的 方法으로 解決되기를 强力히
       希望한다.

     ˙ 또한 大韓民國 政府는 이라크軍이 可能한 한 早速히 쿠웨이트 領土로
       부터 撤收하기를 바란다.

2. 유엔 安保理 決議 661호에 따른 經濟 制裁 措置 參與

   가. 유엔 安保理의 對이라크 經濟 制裁 措置 決議 661호(8.6)에 따라 8.9.
       總理 主宰 關係部處 長官會議 開催, 我國 政府 措置 決定

* 副總理, 外務, 國防, 財務, 商工, 動資, 建設, 交通, 勞動, 公報處
  長官 및 安企部長 參席

나. 措置 內容(8.9)

○ 이라크와 쿠웨이트 地域으로 부터의 原油 輸入 禁止

○ 이라크, 쿠웨이트와의 商品 交易도 공히 禁止
  유엔 決議에는 특히 武器 輸出 禁止를 要請하고 있는 바, 韓國은
  武器를 輸出한 적도 없고 앞으로도 輸出하지 않을 方針

○ 이라크, 쿠웨이트로부터의 建設 工事 受注 不許

○ 我國內 이라크와 쿠웨이트 政府 資産의 凍結 要請에 대하여 이러한
  資産이 韓國內에 없음을 確認

24

0032

폐灣 事態 支援 政府 發表文

ㅇ 政府는 最近 페르시아만 事態와 關聯한 多國籍軍의 經費를 分擔하고,
對이라크 經濟制裁 措置로 인하여 被害를 입고 있는 國家들에 대한
經濟的 支援을 해 달라는 友邦國들의 要請을 接受하고, 이 問題를
檢討해 왔음.

ㅇ 政府는 國際社會에서 武力에 의한 不法的인 侵略行爲가 容認되어서는
안된다는 國際法과 國際正義에 立脚하여 UN 安保理의 對이라크 制裁
決議를 尊重하고, 我國의 신장된 國威에 副應하여 國際 平和 維持
努力에 一翼을 擔當해야 한다는 判斷下에 페르시아만의 秩序 回復을
위한 國際的 努力을 支援키로 決定하였음.

ㅇ 同 決定을 함에 있어서, 總原油需要의 75%를 中東으로부터 導入하는
우리나라로서는 中東事態의 早速한 解決을 통한 原油의 自由로운
需給秩序 回復과 油價 安定이 貿易收支 및 物價安定 等 國益에 크게
도움이 된다는 점을 특히 考慮하였음.

ㅇ 政府는 多國籍軍의 經費로 航空機, 船舶等 輸送手段의 提供과 防毒面,
軍服 등의 現物 支援을 包含하여 1億2千万弗 範圍內에서 特別 支援키로
決定하였음.

0033

25

o 또한 今番 事態로 經濟的 被害를 입고 있는 周邊國(요르단, 터키,
  이집트 等 3個 前線國家)에 대하여는 政府 保有米 30,000톤(1千万弗
  相當)을 支援하고 開途國에 대한 長期 低利 借款인 對外 協力 基金(EDCF)
  4千万弗 및 同 周邊國의 必要 現物等을 支援하며, 各國의 難民 輸送을
  支援하기 위해 國際 移民機構(I.O.M.)에 대해서도 50万弗을 寄與할
  豫定임. 이러한 支援은 總1億弗 範圍內에서 이루어질 것임.

o 이와 별도로 政府는 醫療團을 派遣할 것을 肯定的으로 檢討中이며, 具體的인
  派遣 計劃은 關聯國과의 協議를 거쳐 決定할 것임.

o 이러한 支援規模 및 方法을 決定함에 있어서 政府는 他 友邦國들의 支援內容을
  考慮하였으며, 現在의 어려운 國內 經濟狀況과 특히 最近 洪水 被害로 인한
  財政負擔 等을 充分히 감안하였음.

o 政府는 페르시아만 事態 解決을 위한 國際的 努力이 結實을 맺어 이 地域의
  平和와 安定이 早速 回復되기를 希望하는 바임.

0034

26

o The Government of the Republic of Korea has received requests from friendly countries for favorable consideration to render financial and material support to multinational defense efforts and to countries whose economies are seriously affected by economic sanctions against Iraq.

o Upholding the international law and justice by which armed aggression should not be tolerated in the international society, the Korean government supports the United Nations Security Council resolutions including the one imposing economic sanctions against Iraq. As a member of the international community, we believe that we should bear a fair share in the international efforts to maintain world peace and stability, thus helping restore the order in the Gulf area.

o In making this decision, the Korean government has taken into consideration the fact that an early settlement of the Middle East crisis would ensure the smooth supply of oil and stabilization of its price as well as help maintain peace and stability in that region. As Korea is dependent 75% of the need on oil imported from the Middle East, the stabilized oil supply system will undoubtedly help Korean economy in her balance of trade.

0035

27

o The Korean government decided to support multinational defense efforts
by providing air and maritime transportation facilities and services
including in-kind contributions such as military uniforms and gas masks
within the range of equivalent to 120 million U.S. dollars.

o In addition to the above-mentioned support, the Korean government will
provide the front-line states such as Jordan, Turkey and Egypt whose
economies are seriously affected by the imposition of economic sanctions
with 30,000 tons of rice equivalent to 10 million U.S. dollars. We will
also use 40 million U.S. dollars from the existing Economic Development
Cooperation fund which provides loans of long-term and low-interest for
third world countries. Also some goods such as the necessaries of life
will be provided to the three front-line states. And another half million
U.S. dollars will be contributed to the International Organization on
Migration to assist in the refugee transportation effort in Gulf region.
These economic assistance program will be within the range of 100 million
U.S. dollars.

o Additionally, the Korean government is now considering favorably the
dispatch of a medical team and the detailed plans will be worked out in
consultation with the countries concerned.   0036

o In determining the scale and method of support, the Korean government has fully taken into consideration the supports given by other friendly countries, the present domestic economic difficulties and particularly an imminent national budgetary and financial burden which we face due to the recent flood.

o The Korean government sincerely hopes that peace and stability in that area will be restored through the concerted international efforts for a peaceful settlement of the Gulf crisis.

0037

29

日本, 西獨과 我國의 國力 對比

	韓 國	日 本	韓國對比	西 獨	韓國對比
支援 規模(億弗)	2	40	20 배	20.8	10 배
GNP (億弗)	2,101	28,337	13.5배	12,008	5.7 배
1인당 GNP(弗)	4,127 (88年)	23,317 (88年)	6 배	19,741 (88年)	5 배
交易 規模(億弗)	1,239	4,940	4 배	6,112	5 배
外換 保有(億弗)	152	851 (89.9)	5.5배	533 (88年)	3.5 배
經常 黑字(億弗)	51	568	11 배	555	11 배
中東原油導入 (億 배럴)	2.47	11.40		0.96	

30   0038

各國의 支援 現況

國 家	經濟的 支援	軍事的 支援
日 本	40億弗	非戰鬪員 2,000名 派遣 檢討
西 獨	20.8億弗(33億 마르크)	艦艇5隻
E C	19.7億弗	
英 國	EC 次元 共同 步調	6,000名, 12隻, 50臺
불란서	〃	4,000名, 12隻, 30臺
이태리	1.45億弗(1次 算定額), 〃	艦艇4隻, 8臺
벨기에	EC 次元 共同 步調	掃海艇2隻, 補給艦 1隻
네덜란드	〃	프리깃艦 2隻, 18臺
스페인	〃	艦艇4隻
폴투갈	〃	輸送船 3隻
그리스	〃	艦艇1隻
덴마크		艦艇1隻
체 코		地上軍 170 名
폴란드		地上軍 小数

31   0039

國　　家	經濟的 支援	軍事的 支援
濠　　洲	8百万弗(難民救護)	艦艇3隻, 醫療陣 20名
노르웨이	2,100万弗	輸送船 数隻
카 나 다	6,600万弗	450名, 艦艇3隻, 戰鬪機 中隊
G.C.C.國	사 우 디 : 60億弗 쿠웨이트 : 40億弗 U.A.E.　 : 20億弗	이집트 : 20,000名 모로코 ： 6,200名 시리아 ： 4,000名, 탱크300臺 GCC5국 ： 10,000名
아시아國		방글라데시 : 5,000名 파키스탄 : 2,000名 인도네시아 : (派兵 用意)

∗ 美國 : 兵力 230,000名, 艦艇 43隻, 戰術機 800臺, 탱크900臺

蘇聯 : 戰艦 1隻, 對潛艦 1隻을 派遣하였으나 多國籍軍에는 不參

32

0040

페르시아湾 事態 關聯 周邊國 經濟支援

政府 調査團長 訪問 參考資料

90.10.

外 務 部

0041

目 次

Ⅳ. 財政支援 供與國 그룹 調整會議(別途資料 追報 豫定)

　　1. 調整會議 槪要

　　2. 第1次 會議 開催(9.26) 結果

　　3. 第2次 會議(10.12) 結果

　　4. 第3次 會議 槪要

　　5. 面談人士 人的事項

Ⅴ. 쾌湾 事態 支援 政府 發表文(90.9.24. 10:00)

0043

I. 國家別 支援 內容

0044

1. 支援 內譯

가. 90年

(單位 : 万弗)

支援內譯 國別	多國籍軍 活動			周邊國 및 國際機構				計	비고
	現金	輸送	軍需物資	EDCF	生必品	쌀	IOM		
美 國	5,000	3,000						8,000	
이집트			700	1,500	800			3,000	
터 키				1,500	500			2,000	
요르단				1,000	500			1,500	
방글라데시						500		500	
시리아			600		400			1,000	
모로코			200					200	
I O M							50	50	
其他(行政費)					50			50	
豫備					200	500		700	
小 計	5,000	3,000	1,500	4,000	2,450	1,000	50	17,000	
計	9,500			7,500				17,000	

나. 91 年

(單位 : 万弗)

	多國籍軍 活動	周 邊 國	計
支援 規模	2,500	2,500	5,000

2. 支援 對象 國家 및 規模 決定時 考慮事項

　ㅇ 美側은 我國의 支援 對象國 選定 및 支援 規模 決定에 대해 理解 表示
　　- 修交 目的을 위한 對시리아 援助 方針 等

　ㅇ 調査團 派遣 等 追加經費는 原則的으로 支援費內에서 支出하기 위하여
　　生必品 支援 部分中 50万弗을 行政 經費로 確保
　　- 美國側에 이미 通報, 異議提起 없었음.

　ㅇ 輸送經費는 各國別 支援額에 包含

　ㅇ 多國籍軍 活動에 대한 寄與度 및 修交 基盤 造成 等 外交的 必要性을
　　감안, 이집트 및 시리아에 대한 特別 考慮

0046

```
┌──────────── * 國別 派兵 現況 ────────────┐
│                                           │
│   - 이 집 트  :  19,000名                 │
│                                           │
│   - 시 리 아  :  15,000名                 │
│                                           │
│   - 모 로 코  :   1,200名                 │
│                                           │
│   - 방글라데시  :   5,000名               │
│                                           │
│   - 파키스탄  :   2,000名                 │
│                                           │
└───────────────────────────────────────────┘
```

0 對이라크 經濟 制裁 措置 參與로 인한 經濟的 被害 狀況을 감안, 周邊
3個 前線國家에 重點 援助

```
┌──────────── * 前線國家 豫想 被害額 ────────────┐
│                                                  │
│  '90 年  :  總 41億弗                            │
│                                                  │
│           (터키 17, 이집트 11, 요르단 13)        │
│                                                  │
│  '91 年  :  總 94億弗                            │
│                                                  │
│           (터키 42, 이집트 23, 요르단 29)        │
│                                                  │
└──────────────────────────────────────────────────┘
```

- 이 집 트 : 軍需物資 700万弗, EDCF 1,500万弗, 생필품 800万弗

    (總 3,000万弗)

- 터   키 : EDCF 1,500万弗, 生必品 500万弗 (總 2,000万弗)

- 요 르 단 : EDCF 1,000万弗, 生必品 500万弗 (總 1,500万弗)

0047

o 我國에 대한 支援 要請 與否

   - 필 리 핀 : 쿠웨이트 및 이라크內 필리핀 勤勞者(1万名) 本國 緊急
                 撤收를 위한 支援 要請(民間 航空機 無償 提供 要請)

   - 방글라데시 : 現金 援助 또는 自國 勤勞者 送還을 위한 航空機 및 船舶
                 支援, 國際機構에의 難民 撤收 基金 支援 要請
                 (被害額 5億9千2百万弗 主張)

   - 파키스탄 : EDCF 支援 要請

o 我國과의 旣存의 友好 協力 關係

o 中東地域 國家의 境遇, 對象國家가 同 地域에서 갖고 있는 影響力 정도

0048

3. 支援 可能 品目 明細書 (1990.12.31限 支援可能品目)

(1990.10.16. 현재)

(금액 : 천불, CIF 기자기준)

번호	품목	규격(재질)	수량	금액	비고
1	직물	P.E.	7,919,000 YDS	7,277	세양(주)외 6개사
2	타이어	트럭,버스,승용차	7,000PCS & 6,000PCS	3,000	한국타이어외 1개사
3	복사기	FT 46000 외	3,000 SETS	8,827	신도리코
4	팩시밀리	-	10,000 SETS	3,900	삼성전자
5	타자기	DBM	2,000 SETS	1,400	경방기계외
6	전화기	SS 1800	30,000 SETS	710	삼성전자외
7	COLOR TV	20"	500 SETS	115	삼성전자
8	냉장고	SR-271	1,184 SETS	376	삼성전자(주)
9	라디오	ARC 191 외	100,000 PCS	5,900	대우전자
10	자전거	T-26, 5-SPEED	9,630 SETS	762	(주)삼천리공업
11	세탁비누	300 G	8,000 M/T	4,580	동산유지외 1개사
12	화장비누	110 G	22,800,000 PCS	6,156	동산유지외 2개사
13	설탕	30 KG	5,000 M/T	2,584	삼양사외 1개사
14	밀가루	-	29,000 BAG	337	대한제분
15	종이	아트지	1,000 M/T	1,210	무림제지
16	식품(통조림)	CAN	1,500,000 PCS	1,098	평관외 1개사

(금액 : 천불, CIF 가격기준)

번호	품 목	규격(재질)	수 량	금 액	비 고
17	담 배	-	47,000 BOX	267	(주)농심외 1개사
18	신발(운동화)	P.U.	500,000 PAIRS	4,410	동진실업외 2개사
19	주방용품	STAINLESS, ALUMINIUM	165,000 PCS	1,600	우진경금속외 3개사
20	화 장 지	102MM X 35MM 2 PLY	5,500,000 ROLLS	1,601	동신제지외 1개사
21	치 솔	-	7,000,000 PCS	1,610	럭키외 1개사
22	치 약	-	1,000 M/T	2,930	럭키외 1개사
23	올리브로션	-	1,300,000 PCS	1,157	태평양화학
24	면 도 기	-	2,600,000 PCS	700	도루코
25	라 이 타	-	2,000,000 PCS	342	파이롯트
26	만 년 필	-	50,000 SETS	730	파이롯트
27	건 전 지	-	750,000 PCS	1,450	삼강타이트외 1개사
28	건 전 지	R20(M)/DM	15,287,600 PCS	1,296	(주)서통, 로켓트전기
29	정 수 기	-	35,250 SETS	1,830	(주)웨티스외 1개사
30	매 트	-	153,720 PCS	492	(주)두남
31	차 양 막	2MM X 60MM X 160MM X 150MM	156,000 PCS	156	(주)두남
32	내 의	-	27,500 DZ	518	(주)백양

0050

(금액 : 천불, CIF 가격기준)

번호	품목	규격(제질)	수량	금액	비고
33	양말	-	27,000 DZ	518	승한물산외 1개사
34	스타킹	-	17,000 DZ	58	(주)두성양말
35	타올	-	2,500,000 PCS	4,000	한미타올외 2개사
36	모포	MINK	4,000 PCS	168	봄아점갑
37	의약품(주사제)	마취제, 향생제, 해열진통소염제등	-	2,700	유한양행외
38	의약품(정제)	지혈제, 해독제, 향생제, 해열진통소염제등	-	3,260	중외제약외
39	구급함(가정용)	-	20,000 SETS	1,142	남신약품외
40	앰블란스	BESTA	200 UNIT	3,000	기아자동차
41	미니버스	BESTA 12인승	200 UNIT	2,800	기아자동차
42	미니버스	COMBI 25인승	300 UNIT	7,110	아시아자동차
43	오토바이	50 CC	1,000 UNIT	550	대림자동차
44	FORK LIFT	1.5 TON 외	90 UNIT	2,205	삼성클라크
45	EXCAVATOR	SE 40W	20 UNIT	1,320	삼성중공업
46	LOADER	SL 10	20 UNIT	2,200	삼성중공업
47	DOZER	SD 15P	20 UNIT	2,200	삼성중공업
48	발전기	145 KW 외	20 UNIT	860	대흥기계

0051

(금액 : 천불, CIF 가격기준)

번호	품 목	규격(제질)	수 량	금 액	비 고
49	양 수 기	100 ㎜ 외	5,000 UNIT	5,560	국제종합기계
50	정수장비	MD 1500~1990	20 UNIT	2,500	반도기계
51	경 운 기	10 HP	800 SETS	1,855	대동공업외
52	트 럭	1 TON	200 UNIT	2,000	기아자동차
53	카고트럭	4 X 4.3 TON	200 UNIT	2,946	기아자동차
54	STEEL WIRE외	DIA 1/2" 외	700 TON	548	고려제강
55	야 전 선	—	2,500 MILE	387	국제전선
56	소 화 기	3.3 KG 외	10,000 SETS	340	청계소방외
57	X-RAY 기기	HB 100M	110 SETS	1,134	동아 X-RAY외
58	초음파기기	SONAR ACE-4500	50 SETS	1,414	(주)메디슨
59	마 취 기	MINI 7 외	200 SETS	2,354	로알상사
60	수술용 모니터	CS 502 H	400 SETS	1,384	유진전자
61	수술실 장비일체	—	50 SETS	675	동릉의료기외
62	기타 의료기기	50 병상	50 SETS	1,050	신진전자외
63	군 복	T/C 65/35	80,000 벌	1,013	신생유니온외 3개사
64	야전장비	T/C 65/35	90,000 PCS	1,272	JP무역외 2개사

(금액 : 천불, CIF 기적기준)

번호	품 목	규격(재질)	수 량	금 액	비 고
65	군용외의류	-	82,000 PCS	2,158	신성유니온외 3개사
66	군화류	-	120,000 족	2,232	대동화학외 2개사
67	헬멭	NYLON REINFORCED PLASTIC	100,000 PCS	2,670	오티엘합공영
68	텐트류	NYLON OR COTTON	40,350 SETS	1,330	풍국기업외 2개사
69	배낭	NYLON	40,000 PCS	1,511	대정산업외 2개사
70	DUFFLE BAG	NYLON 외	160,000 PCS	1,106	풍국기업외 3개사
71	군용모포	WOOL 외	70,000 장	1,083	신흥모직외 1개사
72	들것	ALUMINIUM	10,000 외	549	한일금속
73	방탄복	-	1,500 PCS	104	규오통상사
74	PONCHO	NYLON TAFFETA	10,000 PCS	124	JP무역
75	야전삽·곡괭이	STEEL	310,000 PCS	1,097	광성공영사외 4개사
76	수통	PLASTIC	50,000 PCS	54	조일알미늄
77	삽피,수통피	NYLON	330,000 PCS	730	풍국기업외 3개사
78	탄입대	NYLON OR COTTON	100,000 PCS	361	JP무역외 1개사
79	PISTOL BELT	NYLON	260,000 PCS	707	풍국기업외 3개사
80	군용 TOWEL	COTTON	100,000 장	308	동양타올

0053

(금액 : 천불, CIF 가격기준)

번호	품 목	규격(재질)	수 량	금 액	비 고
81	군용앙말	WOOL 등	270,000 축	267	신생유니온외 1개사
82	SAND BAG	P.P.	300,000 PCS	105	신생유니온
83	NBC SUIT	-	10,000 SETS	11,000	코오롱상사
	합 계			157,010	

0054

| | | | (As of Oct. 17, 1990) |

Available Items

SERIAL NO.	HARMONIZED SYSTEM NUMBER	I T E M	SPECIFICATION (MATERIAL)	QUANTITY
1	5407.60	100% POLYESTER WOVEN FABRIC	P. E.	7,919,000 YDS
2	4011.10 4011.20	TYRE	TRUCK, BUS & PASSENGER CAR	7,000 PCS & 60,000 PCS
3	9009.12	ELECTRONIC COPY MACHINE	FT 46000 & OTHERS	3,000 SETS
4	8517.82	FACSIMILE	―	10,000 SETS
5	8469.39	ELECTRONIC TYPEWRITER (FOR ENGLISH)	DMB	2,100 SETS
6	8517.10	TELEPHONE	SS 1800	30,000 SETS
7	8528.10	COLOR TV	20 "	500 SETS
8	8418.10	REFRIGERATOR	SR-271	1,184 SETS
9	8519.91	RADIO	ARC 191 & OTHERS	100,000 PCS
10	8712.00	BICYCLE	T-26, 5-SPEED	9,630 SETS
11	3401.11	LAUNDRY SOAPS	300 G	8,000 M/T
12	3401.19	TOILET SOAPS	110 G	22,800,000 PCS
13	1701.91	WHITE REFINED SUGAR	30 KG	5,000 M/T
14	1101.00	WHEAT FLOUR	―	29,000 BAG
15	4810.11	PAPER	ART PAPER	1,000 M/T

SERIAL NO.	H. S. NO.	I T E M	SPECIFICATION (MATERIAL)	QUANTITY
16	2009.00	CANNED PRODUCTS	CAN	1,500,000 PCS
17	1902.30	INSTANT NOODLES	-	47,000 BOX
18	6402.00	SHOES	P.U.	500,000 PAIRS
19	7323.93	KITCHENWARE	STAINLESS, ALUMINIUM	165,000 PCS
20	4818.10	TOILET PAPER	102MM X 35MM 2 PLY	5,500,000 ROLLS
21	9603.21	TOOTH BRUSH	-	7,000,000 PCS
22	3306.10	TOOTH PASTE	-	1,000 M/T
23	3304.99	OLIVE LOTION	-	1,300,000 PCS
24	8212.10	RAZOR	-	2,600,000 PCS
25	9613.10	CIGARETTE LIGHTER	-	2,000,000 PCS
26	9608.39	PEN & PENCIL	-	50,000 SETS
27	8513.10	LANTERN	-	750,000 PCS
28	8506.11	DRYCELL BATTERY	R 20(M) / DM	15,287,600 PCS
29	8421.21	MINERAL POT	-	35,250 SETS
30	4601.99	CAMPING MAT	-	153,720 PCS
31	4601.99	SUNSHADE SHEET	2MM X 60M X 160M X 150MM	156,000 PCS
32	6207.11	RUNNING SHIRTS	-	27,500 DZ

0056

SERIAL NO.	H. S. NO.	ITEM	SPECIFICATION (MATERIAL)	QUANTITY
33	6115.93	SOCKS	-	27,000 DZ
34	6115.20	STOCKING	-	17,000 DZ
35	5601.10	TOWEL	-	2,500,000 PCS
36	9404.00	BLANKET	MINK	4,000 PCS
37	3004.10	MEDICINE(INJECTION)	ANESTHETIC, ANTIBIOTIC, ANTIPYRETIC ANALGESIC ANTIPHLOGISTIC ETC.	-
38	3004.10	MEDICINE(TAB)	ANTIDOTE, ANTIBIOTIC, ANTIPYRETIC ANALGESIC ANTIPHLOGISTIC ETC.	-
39	3006.50	MEDICAL HOME KIT	-	20,000 SETS
40	8703.32	AMBULANCE	BESTA	200 UNIT
41	8702.10	MINI BUS	BESTA 12 PERSONS	200 UNIT
42	8702.10	MINI BUS	COMBI 25 PERSONS	300 UNIT
43	8711.10	MOTOR CYCLE	50 CC	1,000 UNIT
44	8427.20	FORK LIFT	1.5 TON & OTHERS	90 UNIT
45	8429.52	EXCAVATOR	SE 40 ₩	20 UNIT
46	8427.20	LOADER	SL 10	20 UNIT
47	8429.11	DOZER	SD 15P	20 UNIT

0057

SERIAL NO.	H. S. NO.	I T E M	SPECIFICATION (MATERIAL)	QUANTITY
48	8502.11	GENERATOR	145 KW & OTHERS	20 UNIT
49	8413.70	WATER PUMP	100 MM & OTHERS	5,000 UNIT
50	8705.90	WATER PURIFICATION UNIT	MD 1500-1990	20 UNIT
51	8430.29	POWER TILLER	10 HP	800 SETS
52	8704.31	TRUCK	1 TON	200 UNIT
53	8704.31	CARGO TRUCK	4 X 4, 3 TON	200 UNIT
54	7312.10	STEEL WIRE & OTHERS	DIA 1/2" & OTHERS	700 TON
55	7408.19	FIELD TELEPHONE WIRE	-	2,500 MILE
56	3813.00	FIRE EXTINGUISHER	3.3 KG & OTHERS	10,000 SETS
57	9022.11	X-RAY EQUIPMENT	HB 100 M	110 SETS
58	9018.19	ULTRA SOUND SCANNER	SONAR ACE-4500	50 SETS
59	9018.90	ANESTHETIC APPARATUS	MINI 7 & OTHERS	200 SETS
60	9018.90	ECG MONITOR	CS 502 H	400 SETS
61	9019.20	OPERATION EQUIPMENT	-	50 SETS
62	9018.39	GENERAL MEDICAL EQUIPMENT	50 SICK BED	50 SETS
63	6203.12	CAMOUFLAGE UNIFORM FATIGUE UNIFORM	T/C 65/35	80,000 PCS

SERIAL NO.	H. S. NO.	ITEM	SPECIFICATION (MATERIAL)	QUANTITY
64	6204.33	FIELD JACKETS	T/C 65/35	90,000 PCS
65	6201.11 6201.13	MILITARY OUTER GARMENTS	—	82,000 PCS
66	6403.91	COMBAT BOOTS	—	120,000 PAIR
67	6506.10	NRP BALUSTIC HELMET	NYLON REINFORCED PLASTIC	100,000 PCS
68	6306.21 6306.22	TENT	NYLON OR COTTON	40,350 SETS
69	4202.12	FIELD PACK (MEDIUM)	NYLON	40,000 PCS
70	4202.12	DUFFLE BAG	NYLON & OTHERS	160,000 PCS
71	6301.20 6301.40	MILITARY BLANKET	WOOL & OTHERS	70,000 PCS
72	9402.90	LITTER	ALUMINIUM	10,000 PCS
73	6207.92	MILITARY ARMOR BODY	—	1,500 PCS
74	6201.11	PONCHO	NYLON TAFFETA	10,000 PCS
75	8201.10	SHOVEL, MATTOK	STEEL	310,000 PCS
76	3923.29	WATER CANTEEN	PLASTIC	50,000 PCS
77	4202.92	SHOVEL COVER, CANTEEN COVER	NYLON	330,000 PCS
78	4202.12	AMMUNITION POUCH	NYLON OR COTTON	100,000 PCS

0059

SERIAL NO.	H. S. NO.	I T E M	SPECIFICATION (MATERIAL)	QUANTITY
79	6209.30	PISTOL BELT	NYLON	260,000 PCS
80	6302.60	MILITARY TOWEL	COTTON	100,000 PCS
81	6115.91	MILITARY SOCKS	WOOL & OTHERS	270,000 PAIR
82	6305.31	SAND BAG	P. P.	300,000 PCS
83	6211.33	NBC SUIT	-	100,000 SETS

(REF) 1. ABOVE QUANTITY IS BASED ON ORDER CONFIRMATION UNTIL OCT. 31

2. IN CASE OF LATE ORDER CONFIRMATION AROUND NOV. 15, QUANTITY WILL BE REDUCED ABOUT 50%

0900

Ⅱ. 페르시아灣 事態 支援 執行 計劃 關聯 關係部處 會議結果

0061

1. 會議 槪要

　　가. 日　　時 : 90.10.22(月) 16:00-18:20

　　나. 場　　所 : 外務部 會議室(817호)

　　다. 參 席 者
　　　　° 會議主宰 : 권병현 폐灣事態 對策班長
　　　　° 總 理 室 : 김용 第2行調室 經濟科學審議官
　　　　° 安 企 部 : 김재형 國際局 中東亞課長
　　　　° 經濟企劃院: 조학국 對外調整室 通商調整1課長
　　　　　　　　　　　왕정중 豫算室 行政豫算課長
　　　　° 外 務 部 : 반기문 美洲局長
　　　　　　　　　　　이두복 中東.阿局長
　　　　　　　　　　　최대화 國際經濟局長
　　　　° 財 務 部 : 이정보 經濟協力局長
　　　　° 國 防 部 : 유진규 政策企劃官室 聯合防衛課長
　　　　° 商 工 部 : 황두연 商易局長
　　　　° 交 通 部 : 김세찬 輸送政策局 國際航空課長
　　　　° 農水産部 : 不　參

0062

2. 討議內容 要旨

○ EDCF 借款 國別 配定額을 이집트 1,500万弗, 터키 1,500万弗, 요르단 1,000万弗로 暫定 合意

 - 現在 推進中인 對 파키스탄 EDCF 借款 1,000万弗 考慮

 - 파키스탄 政府의 精米 機械 施設 確充를 위한 250万弗 規模 EDCF 借款 供與 要請 好意的 考慮

○ 生必品 支援 國別 割當額中 對 요르단 支援額을 200万弗로 줄이고 調査團 派遣後 國別 割當額 確定時까지 豫備로 300万弗 配定

○ 필리핀에 대한 쌀 支援 500万弗은 取消하고 쌀 支援은 91年度까지 繼續 事業으로 推進하되 美側과 協議를 통해 실제 不足分에 한해 選別 支援

○ 合意된 國別 支援 規模 대강 및 支援 가능 品目을 해당 大使館에 通報, 駐在國과의 協議에 着手토록 指示

○ 1次 調査團은 가급적 빠른 시일안에 派遣하되 現地 大使館과 受援國間 協議 內容을 토대로 調査團 現地 訪問時 支援內容 確定

 - 團長은 可及的 高位人士로 하되 國會 日程 等을 감안 決定

○ 軍需物資 및 生必品等 現物 支援時 運送費는 國別 支援額에 包含

0063

ㅇ 調査團 派遣等에 소요되는 行政經費는 生必品 支援 部分中 50万弗을 割愛 充當

ㅇ 現物 支援 執行의 效率化를 위해 (株) 고려貿易을 代行 業體로 指定, 物品 購買 및 船積等 業務를 擔當토록 함.

ㅇ 多國籍軍 活動에 대한 寄與度 및 修交 基盤 造成等 外交的 必要性을 감안, 시리아에 1,000万弗(軍需物資 600万弗, 生必品 400万弗) 支援

3. 主要 議題別 各 部處 發言 內容

(國別 支援額 調整事由 說明)

ㅇ 外 務 部 :

- 9.27. 關係部處 協議結果를 基礎로 그간 美側과 協議 및 第2次 調整 會議(10.12, 워싱턴) 參席結果 國別 支援額을 다소 調整함.

(쌀 支援問題)

ㅇ 外 務 部 :

- 10.17. 副總理 主宰 對策會議時 필리핀에 대한 500万弗의 쌀 支援은 對 國民 說得에도 問題가 있어 取消키로 決定함.
- 農水産部는 美側 反對時 쌀 支援 自體를 재고토록 要請하고 있음.

0064

ㅇ 企劃院 :

- 美側 이의제기로 인한 쌀 支援 殘餘 部分은 來年度로 移越, 일단
  保留하여 時間을 갖고 解決하는 것이 바람직함.

(EDCF 借款)

ㅇ 外務部 :

- 9.27. 國別 配定 內容을 다소 調整, 對 이집트 支援額中 500万弗을 떼어
  파키스탄에 供與함.

ㅇ 財務部 :

- 파키스탄에는 지난 2月 최호중 長官 방파시 協議가 시작되어 政府
  調査團 派遣까지 끝내고 現在 推進中에 있는 1,000万弗 規模 借款이
  年內 妥結될 豫定이므로 追加的인 500万弗 支援에는 問題가 있음.
- 借款에 下限線은 없으나 일정 規模 以上이 되어야 適合한 Project 선정이
  가능함.

ㅇ 外務部 :

- 파키스탄 政府는 최근 精米機械施設 擴充을 위한 250万弗 規模의 차관
  供與를 要請해 왔음.

0065

- 파키스탄에 대한 追加 供與가 問題가 있다면 對 요르단 供與額을 500万弗
  에서 1,000万弗로 하고 파키스탄의 追加 要請을 好意的으로 考慮하고
  生必品 支援額 割當을 調整, 調査團 派遣後 確定하는 것이 바람직함.

(生必品 支援)

ㅇ 商 工 部 :

- 지난번 關係部處 會議後 支援 可能 品目에 대한 基礎調査 結果 79개의
  가능 品目, 生産가능 數量, 價格 및 規格에 관한 資料가 完成되어
  수원국과 協議時 基礎 資料로 사용이 가능함.
  · 60개 生必品 및 19개 軍需物資等 多樣하게 準備
- 對 開途國 經協 品目 支援 業務를 다룬 經驗이 풍부한 (株)고려貿易으로
  하여금 다양한 品目 購入 및 船積等 國內 取扱 業務를 專擔케 하고자 함.
- 軍需物資 支援 部分도 國防部와 協議, 支援가능 品目等을 決定코자 함.
- 수원국마다 單一化된 接觸 窓口를 外務部가 指定해 줄 것을 要請함.

ㅇ 國 防 部 :

- 支援 가능한 軍需物資로는 防毒面, 浸透 保護衣, 解毒劑, 모포 및 배낭
  等 5개 品目으로 限定하는 것이 바람직함.

0066

ㅇ 外務部 :

- 수원국과 我國 大使舘間의 協議를 위한 基礎 資料로서 國別 支援額과
아울러 同 支援 가능 品目 資料를 수원국 駐在 我國 大使舘에 打電 豫定임.

- 支援 가능 軍需物資는 상기 5개 品目을 주로 하되 5개 品目만으로 限定
하는데는 問題가 있음.

(調査團 派遣)

ㅇ 外務部 :

- 豫算 國會 日程上 어려운 점도 있겠으나 副總理께서 調査團을 引率하는
것이 바람직함.

- 副總理께서 國會 等 國內 事情上 어려우실 境遇, 이집트, 시리아 等
修交 立地 마련을 위해서 外務次官이 團長을 맡는 것도 考慮 可能함.

- 可及的 高位 人士를 團長으로 하되 國會 日程等을 감안, 決定하겠으며
各部處 所管事項을 決定하는 擔當 局長들의 參與가 要求됨.

- 國別 支援額 및 上記 支援가능 品目을 基礎로 각 大使舘의 對駐在國
協議가 마무리되는 時點에 調査團이 派遣되어야 할 것임.
  · 11月初 出發可能 豫想
  · 企劃院, 財務部, 商工部 및 外務部 關係官等으로 構成

0067

(豫算 措置 및 執行)

ㅇ 經濟企劃院 :

- 90年 第2次 追更 豫算中 計上된 860億원은 可及的 91年 政府豫算보다
  먼저 또는 동시에 處理되어 法定期日인 12.2. 前後 通過가 豫想됨.

- 同 豫算의 部處別 配定도 考慮했었으나 豫算 編成 技術上 問題等으로
  全額 外交 活動費로 配定 豫定

- 外務部는 12.2. 追更豫算 通過와 동시에 企劃院이 國務會議에 豫備費
  사용 節次를 밟을 수 있도록 資料 準備 必要

- 國務會議 通過 및 大統領 재가등에는 10여일이 所要되어 12.12. 부터는
  執行이 可能할 것으로 豫想

- 90年度中 海外經常 移轉 項目으로 일부액만 執行 하더라도 殘額을 事故
  移越시키면 91年度 執行이 可能

4. 기 타

ㅇ 外 務 部 :

- 中東地域 撤收 公館 職員 被害 補償 保全 節次 마련을 위한 各部處의
  關心 要望

- 今番 폐灣 事態로 인한 我國 被害 現況을 企劃院에서 作成, 關係部處들이
  一貫된 목소리로 弘報할 必要性을 副總理께서 지적

0068

Ⅲ. 對美 主要 協議事項

1. ┌──────────┐
    │ 現金 支援 │
    └──────────┘

    ○ 美 國防部는 當初 友邦國으로 부터의 多國籍軍 活動 支援金을 國防
      獻金에 編入, 議會의 承認없이 執行코자 하였으나 美 議會가 이러한
      節次를 拒否함에 따라 美 議會의 支出 承認이 있을때 까지 일단 友邦國
      으로부터의 支援金을 國防協力基金 口座(Defense Cooperation Account)에
      入金, 管理 豫定임.

    ○ 美 國防部는 10.16. 國防 協力基金 口座로의 入金 節次 案內文을
      駐美 大使舘을 통해 我側에 傳達

2. ┌──────────┐
    │ 輸送 支援 │
    └──────────┘

    ○ 航空 輸送 支援 爲主(週 2 回以內)
      - 船舶 輸送(月 1回 정도)

    ○ 總額 3,000万弗의 範圍內에서 91.3까지 美側 要請에 따라 柔然性
      있게 支援

0070

3. | 軍需物資 支援 |

    ㅇ 美側은 我國 政府가 支援 對象國과의 直接 協議를 통해 具體 執行 計劃을 確定 執行하기를 希望

        - 美側, 大規模的인 自體 軍需支援으로 奔走, 仲介者 役割 受任 困難 表明

    ㅇ 美側은 受援國이 我側 支援 物品을 拒否時 美側과 再協議를 통해 다른 受援國을 물색해 줄 것을 希望

    ㅇ 駐韓美軍 司令部와 我國 國防部間 緊密 協議 希望

4. | 軍 醫療團 派遣 |

    가. 對美 交涉 事項

        ㅇ 軍 醫療陣 配置場所 및 派遣期間

        ㅇ 指揮 體系 및 診療 對象

        ㅇ Camp 位置 및 警戒要員 必要性 與否

        ㅇ 醫療 補給品(藥品, 醫療品) 支援 擔當國

        ㅇ 駐屯 地位 問題

0071

о 軍 醫療團員의 衣.食.住 問題

о 病院 施設 問題

о 對美 協調 窓口

나. 對策班長 訪美時 協議 結果

о 我側은 軍醫療團 派遣, 駐屯 및 補給 經費를 美側 또는 사우디
政府가 負擔해 줄 것을 要請

о 美側, 複雜하고 微妙한 問題이므로 深思熟考後 美側 立場 通報
豫定이라 言明
- 事態 進展에 따른 必要 發生時까지 保留 可能性 濃厚

о 上記 美側 立場에 비추어 我國이 積極的으로 派遣 推進 不要

＊ 美側이 我國에 軍 醫療團 派遣을 要請한 것은 武力 衝突 事態
發生에 對備, 美軍 以外의 多國籍軍에 대한 醫療支援을 하기 위한
것으로 觀測됨.

0072

5. 　쌀 支援 問題

가. 對策班長 訪美時 協議 內容

(Dallara 財務部 國際擔當 次官補)

　o 美 農務部은 쌀 等 食糧 援助의 境遇, 世界 食糧 市場의 攪亂 可能性을
　　憂慮 1) 人道的 考慮에 따른 支援에 限하고 2) 受援國의 食糧 市場
　　에서 실제 不足 狀況이 發生하는 境遇에 限 한다는 立場을 취하는 등
　　쌀 支援 問題가 매우 민감한 事案임을 지적

　o 我側은 同 支援이 순수 人道的 考慮에 의한 支援임을 強調하고
　　美側 不願時 쌀 支援 自體를 撤回할 수 밖에 없다는 立場 表明

　o 美側은 韓國支援의 象徵的 意味를 감안, 向後 緊密한 協議를 통한
　　圓滿한 解決 希望 表示

나. 美側 立場 變更

(Weingarten 國務部 食糧 政策 課長)

　o 미측은 前線國에 대한 食糧 援助 關聯, 美側 公式 立場을 駐美
　　大使館에 通報

0073

- FAO의 剩餘 農産物 處理 小委員會(Consultative Subcommittee on Surplus Disposal)와 協議, 關係 規程에 따를것

- 人道的이고 實質的 不足分에 한하며, 運送費는 韓國이 負擔하여 줄 것

- 美側 計算에 의한 現在 前線國家 不足分은 最大 5,000톤

  · 그 이상의 援助 경우, 剩餘分이 現金化되어 國際市場 攪亂 可能性이 濃厚하므로 自制 必要

o 美國內 米穀 生産業者들의 반대를 감안, 쌀 援助 部分 1,000万弗의 現金 또는 여타 現物 支援으로의 交替 可能性 問議

  - 我側은 交替 考慮 不可 立場 通報

6. ┃ 未消盡 對美 纖維쿼타 對터키 割愛 問題 ┃

  가. 美側의 要請 經緯

  o 9.17. Sorini USTR 纖維協商 代表, 商工部 通商協力官 訪美時 韓國의 未消盡 對美 纖維쿼타를 터키에 割愛해 줄 것을 要請

  o 9.25. Brady 財務長官, 워싱턴 開催 第45次 IMF/IBRD 總會期間中 我國 財務長官에게 同一 要請

0074

º 10.11. 財務部 Dallara 次官補, 폐灣 周邊國 支援 韓.美 協議時

　　권병현 大使에게 同一 要請

* 9.26. 美- 터키 兩國 頂上會談時, 폐灣 事態 周邊國 支援策의 一環으로

　　터키의 對美 纖維 輸出 쿼타 增量 論議

나. 對應 方向

º 一次的으로 對美 纖維 쿼타 運用 擔當部處(商工部) 주관하에 對美

　　協議를 추진, 상기 纖維쿼타 割愛의 問題点 說明 및 이에 대한 미측

　　理解 促求 (美 國務部 Fauver 副次官補, USTR Kristoff 代表補의

　　APEC/SOM 會議 參席次 訪韓 機會 利用)

　　- 對美 쿼타 消盡 實績 分析 및 我側 協商案 마련(商工部 및 關聯

　　　業界에서 同 檢討 作業中)

　　　· 最近 對美 纖維 쿼타 카테고리별 消盡實績 및 使用 展望

　　　· 쿼타량 減縮이 可能한 카테고리 및 物量(또는 增量 必要

　　　　카테고리 및 物量)에 대한 檢討等

　　- 美國이 홍콩, 대만等 여타 纖維 輸出國에 대해서도 同一한 要請을

　　　하였는지 與否 및 이에 대한 同 國家들의 對應 動向 把握

º 上記 協議後 美側 要請을 受容하게 되는 경우에는 我國 政府의 폐灣

　　事態 關聯 支援 方案과 連繫하여 檢討

0075

* 90년도 周邊國 經濟支援額 7,500万弗中 터키에 2,000万弗 配定

* 91년도 周邊國 經濟支援額 2,500万弗 配定

┌─────────────── * 現行 韓.美 纖維協定 運用 現況 ───────────────┐

○ 協定期間 : 90.1.1-91.12.31

○ 總156個 카테고리에 대해 輸出限度 物量, 年 增加率, 融通性(轉用,

　移越 및 무上) 使用 規定

○ 最近 對美 纖維 쿼타 消盡 推移

	'86	'87	'88	'89	'90(1-8월)
消盡率	100%	99.1%	90.0%	92.9%	53.4%

* 我國의 總輸出 纖維 쿼타中 60% 이상이 對美 쿼타

└──┘

┌─────────── * 商工部 및 業界 立場(10.15. 關係部處 對策會議) ───────────┐

○ 아래 問題点을 들어 쿼타 割愛에 難色 表明

　- 쿼타 未消盡 品目 일지라도 狀況 變化에 따라 向後 輸出 好調

　　可能한 바, 쿼타 不足으로 輸出을 못하는 경우 發生 憂慮

　- 쿼타 未消盡分은 輸出 好調 品目 쿼타 增量을 위한 融通性

　　(품목간 轉用) 交涉에 使用하기 위해 留保 必要

　- 對터키 쿼타 割愛로 纖維쿼타가 下向 調整될 경우, 向後

　　한.미 纖維 協商에서 我國의 協商 立地 弱化 可能性

○ 따라서 일단 觀望하되 美側이 再次 强力히 要請해 오는 경우,

　協商을 통한 妥結 方案 摸索

└──┘

0076

Ⅳ. 財政支援 供與國 그룹 調整會議(別途資料 追報 豫定)

1. 調整會議 槪要

　　(目　的)

　　　◦ 中東 前線國家(Front Line States)等 걸프事態 被害國家에 대한 財政
　　　　支援을 總括 調整하기 위하여 "Gulf Crisis Financial Coordination
　　　　Group" 創設

　　(構　成)

　　　◦ 美, 韓, 日, 英, 獨, 佛, 카, 伊太利, EC, 사우디, 쿠웨이트, 카타르
　　　　UAE 및 GCC等 14個國家 및 國際機構 參加

　　　◦ 美 財務次官(Mulford)과 國務部 政務次官(Kimmitt)을 共同議長으로
　　　　關聯國, 國際機構 參加

　　　◦ IMF 및 IBRD는 技術的 助言과 分析等 支援

　　(組織.運營機能)

　　　◦ 全體會議 :
　　　　- 參加國 財務部 및 外務部 代表로 構成
　　　　- 受援國에 대한 援助支援 調整運營(政治的 考慮 並行)

0078

- 財政支援 需要 增加의 分析.評價(財政需要는 一次的으로 美 政府에 의해 分析)
- 受援國의 援助 使用 監督

◦ 實務會議 :
- 全體會議에서 提起된 詳細事項에 대한 意見交換
- Dallara 財務部 國際擔當 次官補 主宰
- 我國, 駐美大使舘 經濟 參事官 및 財務官 參席

◦ 事務局 :
- IMF 와 IBRD를 事務局으로 活用
- 技術的이고 分析的인 支援 局限

2. 第1次 會議 開催(9.26) 結果

◦ 美側, "페"灣 事態 解決 위한 政治的, 軍事的 方案 이외에 前線國家에 대한 經濟的 支援을 통해 유엔 制裁措置를 보다 實效化 할 수 있는 經濟的 解決方案의 必要性 強調

◦ 主要 協議.決定事項
- 具體的 方案 推進에 있어 融通性 附與(公式的, 常設機構 性格 止揚)
- 前線國家 範圍를 우선 이집트, 터키, 요르단 3國으로 局限

0079

- 支援時期는 短期的으로 90年末까지, 中期的으로 91年까지 區分

- 第2次 會議를 10.12(金) 開催키로 暫定 決定

  * 會議 參席國 代表들은 美國의 一方的인 會議召集 運營時 主導에 다소의
    不滿을 表示하였으나, 支援對象 供與國 選定, 支援期間等 主要事案에
    있어서는 美國의 提案에 일단 응하기로 함.

3. 第2次 會議(10.12) 結果

가. 概 要

o 第2次 會議에는 사우디, 쿠웨이트, UAE, 카다트等 Gulf 國家, 프랑스,
  벨지움, 獨逸, 伊太利, 和蘭, 英國等 EC 諸國, 스웨덴, 스위스, 日本,
  카나다 및 我國 代表等 17個國 代表가 參席

o 美側은 調整委員會 運營 活性化와 前線國家 支援을 통한 對이라크 制裁
  措置 實效化라는 政治 目標 달성을 強調하는 意味에서 國務部側 共同議長을
  McCormack 經濟次官에서 Robert M. Kimmitt 政務次官으로 交替

o 同 會議는 IMF.IBRD가 算定한 페灣事態 關聯 前線國家 被害 現況報告 및
  討議, 各國의 支援 規模 및 各國 立場 發表와 次期 會議問題 討議順으로
  進行

0080

나. 討議 內容

ㅇ 前線國家들의 財政的 被害 狀況 算出과 關聯, Dallara 次官補가 그간 2次에
걸친 實務 委員會 討議 結果를 報告

ㅇ IMF.IBRD 代表는 被害 狀況 算出 現況을 說明 하였고 EC 代表는 자신들의
算出額인 90億弗과 IMF.IBRD側 142億弗과의 相異点과 관련 意見을 開陳한데
대해 Mulford 次官은 對이라크 經濟措置 實效化라는 調整委員會의 政治的
目標가 詳細 算出時 發生되는 技術的 問題를 뛰어 넘어야(Overshadow)하며
提示 된 資料는 向後 作業을 위한 基礎 資料가 될 것이라 言及

ㅇ Kimmitt 次官도 支援國 代表들은 今番 事態의 政治的 側面을 考慮해야 할
것임을 强調

ㅇ 各國別 周邊國 支援 內容에 대한 各國 代表의 發言 있었음.

다. 權大使 發言 要旨

ㅇ 權大使는 폐灣事態 關聯 我國의 周邊國 支援 內容의 대강을 밝힘.
  - 支援 對象國으로 3個 前線國家 이외에 시리아, 방글라데쉬, 파키스탄
    包含 考慮 豫定 言明

0081

o 今番 我國 政府의 支援 決定은 經濟的이기 보다는 政治的 決斷으로 이루어
  졌으며 이는 韓國戰時 集團 安保 支援에 惠澤을 본 國家로서 이에 報答
  한다는 次元에서 諸般 國內의 어려운 事情에도 불구 最大限의 支援 決定을
  내리게 되었음을 強調

o 이에 대해 Mulford 次官은 上記 內容이 Brady 長官 訪韓時 盧 大統領께서도
  지적한 事項임을 지적하고 韓國이 UN等의 도움으로 侵略을 成功的으로
  克服하여 今番에는 他國을 도우는 成功的 事例가 되었다고 하고 我國
  政府의 支援에 謝意를 表示

4. 第3次 會議 槪要

o 日   時 : 1990.11.5.(月)
o 場   所 : 로마
o 議   題 : 10.30(火) 開催 第4次 技術委員會에서 確定 豫定
  - 91年度分 支援額 詳細 支出 方案
  - 各國別 支援 內容 詳細
  - 向後 調整會議 運營 問題
  - 前線國家以外의 被害國에 대한 援助 擴大 與否

0082

ㅇ 美側은 被害國에 대한 效果的인 援助 提供과 對이라크 經濟 制裁措置의
  實效化를 위한 政治的 考慮의 重要性을 强調
  - 國務部側 共同 議長을 McCormack 經濟次官에서 Robert M. Kimmitt
    政務次官으로 交替

ㅇ 美側은 我國이 美 主導에 異議를 提起하고 있는 EC等 國家들에 대한
  制動國家 役割을 해줄 것을 期待

5. 面談人士 人的事項

가. Kimmitt 美 國務部 政務次官

  ㅇ 姓   名 : Robert M. KIMMITT

  ㅇ 職   責 : 國務部 政務次官(Undersecretary for Political Affairs,
                Dept. of State)

  ㅇ 生年月日 : 1947.12.19(유타주 Logan 胎生)

  ㅇ 學   歷 :
    1969   美 陸士 卒業
    1977   Georgetown 大學 Law Center(法律學 博士)

                                              0083

o 經　歷 :

　　1969-　　　少尉 任官

　　1970-71　　越南 勤務

　　1972-74　　101 空挺隊 勤務

　　1975　　　陸軍 法律 事務所長 法律拷問

　　1976-77　　國家安保委員會(NSC) 勤務

　　1977-78　　美 抗訴裁判所 勤務

　　1978-83　　NSC 勤務

　　1983-85　　NSC 副補佐官

　　1985-87　　財務省 고문관

　　1987-89　　Sidney & Austin 法律會社

　　1989-　　　國務部 政務次官

o 家族關係 : 夫人 및 子女4名

나. Mulford 財務部 國際擔當 次官

　o 姓　名 : David C. Mulford

　o 職　責 : 財務部 國際擔當 次官

　　　　　　(Under Secretary for International Affairs, Department

　　　　　　of the Treasury)

0084

o 生年月日 : 1937.6.27 (일리노이州 Rockford 胎生)

o 學　歷 :

1959　　　Lawrence大 卒(學士)

1962　　　Boston大 碩士(Africa 전공)

1965　　　Cape Town大 修學, Oxford大 博士(St. Anthony College)

o 經　歷 :

1965-66　　美 財務部内 White House Fellow

1966-74　　White, Weld 社 勤務

1970-74　　White, Weld 社 社長

1974-84　　사우디 金融機關, 先任投資 顧問

　　　　　Merrill Lynch, Pierce, Tenner and Smith 社 理事

　　　　　Merrill Lynch, White, Weld Capital Market 그룹 상무

1984-89　　美 財務部 國際擔當 次官補

1989-　　　美 財務部 國際擔當 次官

o 家族事項 : 旣婚, 子女2名

다. Dallara 美 財務部 國際擔當 次官補

　ㅇ 姓　　名 : Charles H. Dallara

　ㅇ 職　　責 : 美 財務部 國際擔當 次官補(Assistant Secretary for
　　　　　　　　 International Affairs, Dept. of the Treasury)

　ㅇ 生年月日 : 1948.8.25(버지니아州, Falls Church 胎生)

　ㅇ 學　　歷 :
　　　1970　　　　South Carolina 大學 卒業(B.S.)
　　　1986　　　　Fletcher School of Law and Diplomacy(Tufts 大) 博士

　ㅇ 經　　歷 :
　　　1976-80　　　財務部 國際 金融 硏究院
　　　1979-80　　　金融擔當 次官 補佐官
　　　1981-82　　　國際擔當 次官補 補佐官
　　　1983-84　　　國際金融擔當 副次官補
　　　1984-88　　　國際經濟政策擔當 副次官補
　　　1988-89　　　政策開發擔當 次官補
　　　1989-　　　　國際擔當 次官補

　ㅇ 家族事項 : 夫人, 子女 2名

0086

V. 페湾 事態 支援 政府 發表文

(90.9.24. 10:00)

0087

o 政府는 最近 페르시아만 事態와 關聯한 多國籍軍의 經費를 分擔하고, 對이라크 經濟制裁 措置로 인하여 被害를 입고 있는 國家들에 대한 經濟的 支援을 해 달라는 友邦國들의 要請을 接受하고, 이 問題를 檢討해 왔음.

o 政府는 國際社會에서 武力에 의한 不法的인 侵略行爲가 容認되어서는 안된다는 國際法과 國際正義에 立脚하여 UN 安保理의 對이라크 制裁 決議를 尊重하고, 我國의 신장된 國威에 副應하여 國際 平和 維持 努力에 一翼을 擔當해야 한다는 判斷下에 페르시아만의 秩序 回復을 위한 國際的 努力을 支援키로 決定하였음.

o 同 決定을 함에 있어서, 總原油需要의 75%를 中東으로부터 導入하는 우리나라로서는 中東事態의 早速한 解決을 통한 原油의 自由로운 需給秩序 回復과 油價 安定이 貿易收支 및 物價安定 等 國益에 크게 도움이 된다는 점을 특히 考慮하였음.

o 政府는 多國籍軍의 經費로 航空機, 船舶等 輸送手段의 提供과 防毒面, 軍服 등의 現物 支援을 包含하여 1億2千万弗 範圍内에서 特別 支援키로 決定하였음.

0088

ㅇ 또한 今番 事態로 經濟的 被害를 입고 있는 周邊國(요르단, 터키,
  이집트 等 3個 前線國家)에 대하여는 政府 保有米 30,000톤(1千万弗
  相當)을 支援하고 開途國에 대한 長期 低利 借款인 對外 協力 基金(EDCF)
  4千万弗 및 同 周邊國의 必要 現物等을 支援하며, 各國의 難民 輸送을
  支援하기 위해 國際 移民機構(I.O.M.)에 대해서도 50万弗을 寄與할
  豫定임. 이러한 支援은 總1億弗 範圍內에서 이루어질 것임.

ㅇ 이와 별도로 政府는 醫療團을 派遣할 것을 肯定的으로 檢討中이며, 具體的인
  派遣 計劃은 關聯國과의 協議를 거쳐 決定할 것임.

ㅇ 이러한 支援規模 및 方法을 決定함에 있어서 政府는 他 友邦國들의 支援內容을
  考慮하였으며, 現在의 어려운 國內 經濟狀況과 특히 最近 洪水 被害로 인한
  財政負擔 等을 充分히 감안하였음.

ㅇ 政府는 페르시아만 事態 解決을 위한 國際的 努力이 結實을 맺어 이 地域의
  平和와 安定이 早速 回復되기를 希望하는 바임.

0089

o The Government of the Republic of Korea has received requests from
   friendly countries for favorable consideration to render financial
   and material support to multinational defense efforts and to countries
   whose economies are seriously affected by economic sanctions against
   Iraq.

o Upholding the international law and justice by which armed aggression
   should not be tolerated in the international society, the Korean
   government supports the United Nations Security Council resolutions
   including the one imposing economic sanctions against Iraq. As a
   member of the international community, we believe that we should
   bear a fair share in the international efforts to maintain world peace
   and stability, thus helping restore the order in the Gulf area.

o In making this decision, the Korean government has taken into consider-
   ation the fact that an early settlement of the Middle East crisis would
   ensure the smooth supply of oil and stabilization of its price as well as
   help maintain peace and stability in that region. As Korea is dependent
   75% of the need on oil imported from the Middle East, the stabilized oil
   supply system will undoubtedly help Korean economy in her balance of trade.

0090

o The Korean government decided to support multinational defense efforts by providing air and maritime transportation facilities and services including in-kind contributions such as military uniforms and gas masks within the range of equivalent to 120 million U.S. dollars.

o In addition to the above-mentioned support, the Korean government will provide the front-line states such as Jordan, Turkey and Egypt whose economies are seriously affected by the imposition of economic sanctions with 30,000 tons of rice equivalent to 10 million U.S. dollars. We will also use 40 million U.S. dollars from the existing Economic Development Cooperation fund which provides loans of long-term and low-interest for third world countries. Also some goods such as the necessaries of life will be provided to the three front-line states. And another half million U.S. dollars will be contributed to the International Organization on Migration to assist in the refugee transportation effort in Gulf region. These economic assistance program will be within the range of 100 million U.S. dollars.

o Additionally, the Korean government is now considering favorably the dispatch of a medical team and the detailed plans will be worked out in consultation with the countries concerned.

0091

o In determining the scale and method of support, the Korean government has fully taken into consideration the supports given by other friendly countries, the present domestic economic difficulties and particularly an imminent national budgetary and financial burden which we face due to the recent flood.

o The Korean government sincerely hopes that peace and stability in that area will be restored through the concerted international efforts for a peaceful settlement of the Gulf crisis.

0092

參 考 資 料

1. 支援 決定時 考慮事項

가. 安保 問題

○ 武力에 의한 領土紛爭의 解決이 容認될 경우 將來 韓半島 安保環境에
큰 危害가 될 것인바, 韓半島의 有事時 國際社會의 共同 介入을 通한
平和 回復 期待 및 韓半島에서 武力 挑發 可能性 豫防 效果

○ 韓.美 安保協力 關係 持續
- 駐韓 美軍 維持, 防衛費 分擔 問題 關聯 美 議會 및 言論의
批判 輿論 可能性 對備

나. 經濟 通商 側面 考慮

○ 我國은 89年度 46億 8,553万弗 相當의 原油를 導入하였음. 原油의
순조로운 需給도 重要하거니와 中東事態로 인하여 油價가 不安定하게
되는 境遇 우리의 經濟에 주는 打擊은 莫甚하기 때문에 今番 國際的
努力으로 原油의 需給과 價格體系가 正常化되는 境遇, 油價 1弗 引下時
年間 原油 導入額에서 3億 3,000万弗이 節減되므로 예컨데 油價가
10弗 安定되면 33億弗이 節減되어 我國은 支援額을 크게 上廻하는 利益을
보게 됨.

0093

- 今年 上半期 平均 油價가 1배럴당 16.5弗이었으나 9.17現在 30.89弗로 上昇
- 我國의 對中東 原油 依存度는 74%

ᵒ 페르시아만 事態의 早速한 解決은 我國의 安定된 原油 供給 確保는 물론 建設等 經濟進出에도 不可缺한 條件이며, 我國의 支援이 未洽할 境遇 "페"만 事態 解決後 對中東 進出에 否定的 影響 憂慮.

다. 外交的 考慮

ᵒ 6.26 事變時 유연의 도움을 받은 我國으로서 對이라크 共同制裁에 관한 유연 決意에 적극 참여해야 할 道義的 의무가 있으며, 이는 我國의 유연 加入 政策과도 附合됨.

ᵒ 我國의 신장된 國威에 副應하여 國際 平和 維持 努力에 一翼 擔當
- 我國의 支援이 微溫的일 境遇, 經濟的 利益만 追求한다는 國際的 非難 可能性 考慮

ᵒ 長期的인 觀點에서 사우디, UAE 等 中東 友邦國들과의 共同步調 및 周邊 被害國들과의 友好 關係 增進 圖謀

0094

라 . 國內 經濟 狀況 考慮

  ο 今年度 貿易 赤字等 經濟事情 惡化, 駐韓 美軍 防衛費 分擔

  ο 특히 最近 大洪水로 約 6億弗 追加 財政 소요 等으로 過度한 支援 不可

2. 支援 內容의 特徵

  가 . 兵力 또는 艦艇 派遣等 直接的인 軍事支援 排除

  나 . 支援 形態를 現金 支援보다는 物資 및 써비스 中心으로 함으로써 我國
     經濟에 도움이 되는 方向으로 하였으며, 이중 相當部分은 旣存 借款
     基金을 活用하여 追加 財政 負擔을 줄였음.

添 附 : 1. 日本, 西獨과 我國의 國力 對比
       2. 各國의 支援 現況

0095

（添 附）

1. 日本, 西獨과 我國의 國力 對比

	韓 國	日 本	韓國對比	西 獨	韓國對比
支援 規模(億弗)	2	40	20 배	20.8	10 배
GNP (億弗)	2,101	28,337	13.5배	12,008	5.7배
1인당 GNP(弗)	4,127 (88年)	23,317 (88年)	6 배	19,741 (88年)	5 배
交易 規模(億弗)	1,239	4,940	4 배	6,112	5 배
外換 保有(億弗)	152	851 (89.9)	5.5배	533 (88年)	3.5 배
經常 黑字(億弗)	51	568	11 배	555	11 배
中東原油導入 (億 배럴)	2.47	11.40		0.96	

0096

2. 各國의 支援 現況

國　　家	經濟的 支援	軍事的 支援
日　　本	40億弗	非戰鬪員 2,000名 派遣 檢討
西　　獨	20.8億弗(33億 마르크)	艦艇5隻
E C	19.7億弗	
英　　國	EC 次元 共同 步調	6,000名, 12隻, 50臺
불란서	〃	4,000名, 12隻, 30臺
이태리	1.45億弗(1次 算定額), 〃	艦艇4隻, 8臺
벨기에	EC 次元 共同 步調	掃海艇2隻, 補給艦 1隻
네덜란드	〃	프리깃艦 2隻, 18臺
스페인	〃	艦艇4隻
폴투갈	〃	輸送船 3隻
그리스	〃	艦艇1隻
덴마크		艦艇1隻
체 코		地上軍 170 名
폴란드		地上軍 小数

0097

國　家	經濟的 支援	軍事的 支援
濠　洲	8百万弗(難民救護)	艦艇3隻, 醫療陣 20名
노르웨이	2,100万弗	輸送船 数隻
카 나 다	6,600万弗	450名, 艦艇3隻, 戰鬪機 中隊
G.C.C.國	사 우 디 : 60億弗 쿠웨이트 : 40億弗 U.A.E. : 20億弗	이집트 : 20,000名 모로코 : 6,200名 시리아 : 4,000名, 탱크300臺 GCC5국 : 10,000名
아시아國		방글라데시 : 5,000名 파키스탄 : 2,000名 인도네시아 : (派兵 用意)

＊ 美國 : 兵力 230,000名, 艦艇 43隻, 戰術機 800臺, 탱크900臺

蘇聯 : 戰艦 1隻, 對潛艦 1隻을 派遣하였으나 多國籍軍에는 不參

0098

```
┌─────────────────────────────────┐
│  걸프만 事態 關聯國 支援 政府 調査團  │
│         巡訪 參考資料              │
└─────────────────────────────────┘
```

1990.10.27 - 11. 8
(이집트, 요르단, 시리아, 터키, 이태리)

外　務　部

0099

次　　　例

0100

I. 一般 事項

1. 代表團構成

단　장 :　유종하 외무부차관

단　원 :　이정보 재무부 경제협력국장

　　　　황두연 상공부 상역국장

　　　　이민재 청와대 외교안보 비서관

　　　　이철수 경제기획원 예산심의관

　　　　████████████████████

　　　　신국호 외무부 마그레브과장

　　　　신각수 외무부 차관 보좌관

　　　　정용칠 외무부 경협2과 사무관

0101

2. 國別 滯留期間

방 문 국	기 간	관 계 자
이 집 트	10.28(일) - 10.31(수)	전 단 원
요 르 단	10.31(수) - 11. 2(金)	전 단 원
시 리 아	11. 2(金) - 11. 4(日)	로마회의 참석자
	11. 2(금) - 11. 5(月)	로마회의 불참석자
이 태 리	11. 4(일) - 11. 6(화)	로마회의 참석자
터 키	11. 5(일) - 11. 7(수)	로마회의 불참석자

0102

3. 航空日程

① 團長 및 로마會議 參席者

  10.27(土) 21:40 암스테르담 향발 (KE 913)

  10.28(日) 05:00 암스테르담 도착

       13:15 카이로 향발(KL 553)

       18:45 카이로 도착

          (10.29. 및 10:30 이집트 업무)

  10.31(水) 08:00 암만 향발 (RJ 508)

       09:00 암만 도착

          (10.31. 및 11.1. 요르단 업무)

  11. 2(金) 17:30 다마스커스 향발 (RJ 135)

       18:30 다마스커스 도착

          (11.3. 시리아 업무)

  11.4(日) 09:55 로마 향발 (AZ 745)

       14:35 로마 도착

          (11.5. 로마회의참석)

  11.6(火) 13:30 싱가폴 향발 (SQ 031)

  11.7(水) 08:05 싱가폴 도착

  11.8(목) 09:25 서울 향발 (KE 632)

       18:25 서울 도착

0103

② 로마會議 不參團員

10.27(土)	21:40	암스테르담 향발 (KE 913)
10.28(日)	05:00	암스테르담 도착
	13:15	카이로 향발 (KL 553)
	18:45	카이로 도착
		(10.29 및 10.30. 이집트 업무)
10.31(火)	08:00	암만 향발 (RJ 508)
	09:00	암만 도착
		(10.31 및 11.1. 요르단 업무)
11. 2(金)	17:30	다마스커스 향발 (RJ 135)
	18:30	다마스커스 도착
		(11.3. 및 11.4. 시리아 업무)
11. 5(日)	15:15	이스탄불 향발 (TK 811)
	17:50	이스탄불 도착
	19:30	앙카라 향발 (TK 898)
	20:35	앙카라 도착
		(11.6. 터키 업무)
11. 7(水)	07:00	파리 향발 (AF 1377)
	11:15	파리 도착
11. 7(水)	20:30	서울 향발 (KE 902)
11. 8(木)	16:45	서울 도착

0104

Ⅱ. 面談時 말씀要旨

1. 걸프만 事態 關聯 我國의 基本立場

2. 我國의 對이라크 制裁措置 參與

3. 걸프만 事態 關聯國에 대한 支援參與

4. 各國別 言及事項

   ㅇ 이집트

   ㅇ 시리아

   ㅇ 요르단

   ㅇ 터 키

0105

1. 걸프만 事態 關聯 我國의 基本立場

○ 我國은 모든 國際紛爭이 武力에 의해서가 아니라 平和的인 協商을 통하여 解決되어야 하며 強大國이 武力에 의하여 弱小國을 侵略, 領土를 獲得하는 行爲는 容納될수 없고 國際法上 正當化될수 없다는 立場임.

○ 금번 이라크의 武力에 의한 쿠웨이트 侵攻 및 併合은 쿠웨이트의 主權과 領土保全에 대한 重大한 侵害인바, 我國政府는 同行爲를 糾彈하고 이라크군이 쿠웨이트 領土로부터 無條件 早速 撤收할것을 促求한바 있음.

(8.2. 외무부 대변인 성명)
  - 이라크의 쿠웨이트 무력침공 규탄
  - 이라크군의 즉각적인 철군 촉구

0106

2. 我國의 對 이라크 制裁措置 參與

o 我國은 유엔의 國際紛爭에 대한 調整役割을 支持, 금번 걸프만
   事態에 관한 유엔의 決議 및 諸般宣言을 尊重, 遵守코자 努力하고
   있는바 특히 이라크의 쿠웨이트 倂合 無效를 宣言한 유엔安保理
   決議를 支持함.

(걸프사태 관련 안보리결의)

660호 (8. 2.) 이라크의 쿠웨이트 침공비난 및 철군촉구
661호 (8. 6.) 대 이라크 경제제재
662호 (8. 9.) 쿠웨이트 합병무효선언
664호 (8.18.) 억류 외국인 출국촉구
665호 (8.25.) 경제봉쇄위한 무력사용승인
666호 (9.13.) 대이라크 식품수출 기본지침
667호 (9.16.) 쿠웨이트내 일부공관 침범규탄
669호 (9.24.) 전선국가 경제원조
670호 (9.25.) 대이라크 공중봉쇄

o 또한 對이라크 經濟制裁로 인하여 建設未收金의 回收困難 및
   輸出禁止로 큰 損失을 입고, 기타 事態發生으로인해 걸프만 國家
   에의 輸出에 支障을 받고있으나 經濟制裁에 관한 유엔安保理 決議를
   尊重하고 이를 遵守하고 있음.

0107

(걸프사태로인한 아국 경제손실)

- 유가배럴당 1불인상시 연간 3.3억불 추가부담

  (유가 25불기준 91년 GNP 에 약 2.5% 저하영향)

- 건설미수금 약 10억불 회수곤란

- 이라크, 바레인, 카타르등에 대한 수출지장 2억불

- 원유수급 곤란

3. 걸프만 事態 關聯國에 대한 支援參與

o 我國은 國際社會의 일원으로서 國際平和維持 努力에 일익을 擔當
해야 한다는 判斷下에 걸프만 地域의 平和와 秩序回復을 위한
國際的 努力에 同參하고 關聯國들의 活動을 支援키로 決定하였음.

o 我國政府는 多國籍軍의 經費分擔 및 周邊被害國에 대한 經濟援助로
2억2천만불을 提供키로 決定하였는바 이는 我國의 安保狀況과
經濟能力에 비해 적지않은 負擔이라 할수있음.

※ 각국과의 비교(단위, 억불)

	한 국	일 본	서 독
- 다국적군 지원	1.2	20	12.5
- 주변국 지원	1	20	7.9
- 합 계	2.2	40	20.4
- GNP 규모	2101	28,337	12,008

0108

○ 多國籍軍 활동지원은 輸送手段의 提供과 防毒面, 軍服등의 現物
支援을 包含하여 1억2천만불 相當額임.

(금년중 배정액 : 9,500만불)

- 현   금 : 5,000만불 (미국)
- 수   송 : 3,000만불 (미국)
- 군수물자 : 1,500만불 (이집트, 시리아, 모로코)

(내년중 배정액 : 2,500 만불)

○ 또한 금번 事態로 經濟的 被害를 입고있는 周邊國(요르단, 터키,
이집트 3個 前線國家)에 대하여는 長期 低利 借款인 對外 協力
基金(EDCF) 및 동 周邊國의 必要 現物등을 支援하며, 各國의 難民
輸送을 支援하기 위해 國際 移民機構(I.O.M.)에 대해서도 寄與할
豫定임. 이러한 支援은 總1億佛 範圍內에서 이루어질 것임.

(금년중 배정액 : 7,000만불)

- EDCF 자금 : 4,000만불
- 생 필 품 : 2,450만불
- 쌀   :   500만불
- I.O.M   :   50만불

(내년중 배정액 : 3,000만불)

0109

4. 各國別 言及事項

가. 이집트

> ㅇ 貴國(이집트)에 대해서는 금년에 700만불 相當의 軍需物資, 800만불 相當의 生必品, EDCF 資金 1,500만불의 總 3,000만불 規模로 支援코자 하는바 이는 美國을 除外한 國家중 가장 큰 比重을 차지하고 있음.

- 90년 지원총액 : 1.7억불
- 미국지원액 : 8,000만불
- 기타국지원액 : 9,000만불(터키, 요르단, 시리아, 방글라데시, 파키스탄, 모로코, 필리핀)

> ㅇ 이는 貴國과 未修交 狀態로 30년간 領事關係만을 維持하고있는 부자연스러운 關係를 早速 清算하고 正式國交樹立을 함으로써 關係를 正常化시키고자 하는 我國政府의 뜻을 反映함.

0110

o 1961년에 領事關係를 樹立한이래 我國은 카이로에 總領事舘을 維持해오고있어 내년은 領事關係樹立 30주년이 되는해임. 이와같이 長期間에 걸쳐 領事關係를 維持한 경우는 國際社會에 그 유례가없는 非正常的인 狀態임.

- 61.12월 영사관계수립
- 62.5월 주 카이로 총영사관개설

o 兩國이 敵對關係 狀態에 있다면 모르나 兩國은 그간 諸分野에서 關係를 增進시켜왔으며 現在의 經濟通商 關係와 人的交流등을 감안해 볼때 正式修交를 하지 못할 이유가 전혀없음.

(양국교역현황, 1989)
- 수출 : 1.16억불(전기제품, 기계류, 고무제품)
- 수입 : 1.13억불 (원면, 원유, 알미늄)

o 이는 和解와 協力이 뿌리내리고있는 現 國際情勢의 커다란 흐름에도 어긋날뿐아니라 領事關係로서는 兩國間 協力規模를 劃期的으로 增進시키는데 어려움이 많다고 생각함.

0111

o 最近 我國은 東歐圈과 소련등 社會主義國家들과 알제리, 잠비아등
  非同盟國家들과 修交하였는바 이러한 修交에서 보듯이 韓·이집트
  修交가 이집트·北韓間의 旣存關係를 侵害하지는 않을 것이며
  오히려 北韓이 國際社會의 責任있는 構成員으로서 責任과 義務를
  다하는데 큰 도움이 될것임.

(최근 아국의 수교현황)
 - 알바니아를 제외한 전 동구권국가, 소련, 몽고
 - 알제리, 잠비아, 콩고, 나미비아, 말리, 베넹

나. 시리아

o 多國籍軍 派遣國 支援의 一環으로 我國은 貴國(시리아)에 대해서
  금년에 600만불 相當의 軍需物資와 400만불 相當의 生必品을 支援
  키로 決定하였는바 未修交關係에 있는 貴國에 대하여 이와같은
  支援을 決定한것은 兩國關係를 하루속히 正常化시키고자 하는
  我國의 强力한 希望을 反映하는것임.

0112

○ 我國은 政治體制와 理念上의 差異를 넘어 世界 모든나라들과 友好
  協力關係를 樹立하기위해 애쓰고 있으며, 最近 蘇聯을 비롯한 거의
  모든 동유럽 社會主義國家 및 알제리, 잠비아등과도 外交關係를
  樹立하였는바 이러한 예에서 보듯이 우리 兩國間 修交는 貴國과
  北韓과의 旣存關係에 아무런 影響을 끼치지 않을것임.

○ 또한 兩國은 人的交流와 通商關係를 꾸준히 增大시켜 왔는바,
  相互利益이되는 實質協力을 劃期的으로 增進시키기 위해서는
  兩國間 正式修交가 緊要함.

(양국교역관계, 1989)
- 수출 : 976만불 (철강제품, 전기기기, 음향기기)
- 수입 : 144만불 (질소비료, 석탄산)

○ 我國은 1961년 시리아 政府를 承認하고 1962년에는 兩國間 外交
  關係 樹立을 合意한바 있었기 때문에 새로운 出發에 큰 어려움이
  없을것임.

1962.7. 4.   양국간 수교합의
1962.7.12.   주터키대사를 겸임대사로 아그레망 신청
              시리아, 아국과 이스라엘과의 관계를 이유로 응하지않음.

0113

o 兩國間 修交問題를 協議키위해 그간 駐요르단大使舘과 貴國 政府
要人들과의 接觸도 많았는바, 貴側에서도 全般的으로 兩國修交
問題에 肯定的인것으로 알고있음.

(대 시리아 수교추진)

- 1988년 주 요르단 대사 4회 시리아 파견,
  · 공업장관, 경제무역장관, 부수상겸 국방장관등 접촉
- 90.5월, 주 요르단 참사관 시리아 파견,
  · 국방장관, 외무성 경제국장, 대통령 처남등과 접촉
- 90.6월 주예멘대사, 현지 시리아 대사에 양국수교관련 아국입장
  서면 전달

o 금번 本人 訪問을 契機로 兩國間 修交推進에 큰 進陟이 있기를
希望하여 가까운 時日內 兩國政府間 具體的인 修交節次를 協議하길
希望함.

- 수교절차 협의를 위해 카이로, 암만, 유엔등지에서 양국 공관
  직원간 접촉가함.

0114

다 . 요르단

---

o 韓·요르단 兩國은 1962년 外交關係樹立이후 政治, 經濟, 文化등
  諸般分野에서 緊密한 友好協力關係를 維持, 發展시켜 왔으며
  1983년 후세인 요르단 國王夫妻의 公式訪韓은 兩國關係를 새로운
  次元으로 發展시키는 里程表가 되었음.

---

o 兩國은 특히 經濟構造의 相互補完姓을 바탕으로 緊密한 協力關係를
  維持하여 왔는바, 같은 開途國으로서 經濟開發 過程에서의 協力을
  더 한층 增進함으로써 模範的인 南·南 協力關係로 發展시킬수
  있을것으로 期待함.

(양국통상관계, 1989)
  - 수출 : 579만불 (섬유류, 금속제품, 철강제품)
  - 수입 : 223만불 (인광석, 염화가리)

---

o 我國은 東西緊張이 緩和되고있는 時點에 發生한 걸프만 事態에
  대해 깊은 憂慮를 하고있으며 事態解決을 위한 國際的 努力이
  結實을 맺어 이地域의 平和와 安定이 早速히 회복되기를 希望함.

0115

> ○ 이에따라 我國은 國際社會의 一員으로서 이地域의 平和와 安定
>   회복을 위한 國際的努力에 同參하는 意味에서 막대한 經濟的 損害를
>   입고있는 貴國에대해 500만불 相當의 生必品과 EDCF 資金 1,000만불
>   을 支援코자 함.

（페만사태관련 요르단입장）

- 이라크의 즉각 철수를 주장한 안보리 결의안 존중
- 아랍제국의 참여 및 국제평화회의를 통한 해결
- 미군 및 연합군의 사우디 주둔은 최단시일내 중료

라. 터 키

> ○ 터키는 韓國戰爭 參戰國으로서 血盟關係에 있는 友邦國일뿐아니라
>   國際舞臺에서 그간 我國立場을 변함없이 支持해와 항상 고맙게
>   생각하고 있음.

> ○ Evren 前大統領과 Ozal 現大統領의 首相在職中 訪韓등 잦은 兩國間
>   高位人士 交流는 이러한 傳統的 友好關係를 實證하는것이며 兩國
>   相互 理解增進을 위한 좋은 契機가 되었던것임.

0116

- Evren 대통령 방한 (82.12.20 - 23)
- Ozal 수상 (현대통령)방한 : 86.11.4.- 7.

o 금번 걸프만 事態와 關聯 막대한 經濟的 損失을 무릅쓰고 貴國이
보여준 平和努力을 높이 評價하며 이와관련 我國은 금년에 貴國에
500만불 相當의 生必品과 1,500만불의 EDCF 資金을 支援코자 함.

0117

Ⅲ. 걸프만 事態 現況

1. 最近現況 및 展望

① 사태현황

가. 미국, 대이라크 철군압력 계속가중

- 범세계적 호응하에 대이라크 경제봉쇄 조치 유지

- 21만여명의 미지상군을 포함 35만여명의 다국적군 배치완료

- 군사적 행동결정은 유보한채 철군 압력가중

나. 이라크, 대서방 유화태도 시사

- 쿠웨이트 지역 일부 할양을 전제로 철군 가능성 시사

- 미국과의 정상회담제의(10.23)

· 미국불침 보장시 외국인 전원석방 의향표명

· 미영 인질 일부석방

- 이라크 의회, 불란서 인질전원 출국 허용안 통과

다. 미국, 대이라크 강경입장고수

- 이라크군의 무조건 철수이외에 어떠한 타협도 불가능함을
재천명(10.23)

0118

② 분석 및 전망

　가. 분 석

　　ㅇ 이라크 유화정책 시사로 다국적군 협조체제 교란 시도

　　　- 대미협상 제의로 미국의 공격회피

　　　- 인질의 선별 석방으로 미국과 불란서등의 협조체제 교란

　　ㅇ 사우디아라비아 강경대처입장 후퇴

　　　- 미군의 사우디 주둔에 대한 아랍권 일부의 부정적반응 고려

　　　- 미국 공격시 사우디 및 아랍권의 막대한 피해 우려

　　　- 정치적 해결을 희망하는 아랍권 움직임 반영

　　ㅇ 미국, 대이라크 강경입장 불변

　　　- 이라크군 선철군이전 일체의 타협 거절 재표명

　나) 전 망

　　ㅇ 외교적 방법에 의한 페만사태해결 가능성 고조

　　　- 미국의 정치적 위협과 제한적 요소를 무시한 군사행동
　　　　가능성 희박

　　ㅇ 미국 강경입장 후퇴예상

　　　- 아랍권 독자 해결방안 제시 및 소련, 불란서등의 정치적
　　　　해결 주장시 강경입장 고수곤란

0119

- 궁극적 목표인 걸프만 집단 안보체제 구축 및 산유보수
  왕정들에 대한 영향력 행사 기조 확립후 이라크의 철군을
  전제로한 최저 양보선에서 외교적방법 해결수락 예상

2. 아랍 各國의 立場

   1) 이집트 : 사우디, 시리아 및 온건 아랍국가들 규합, 반이라크 중심국
      으로 부상하였으며 군사 및 타분야 제재에 적극 참여를
      통해 미국 및 사우디로부터 막대한 재정지원 획득 기도

   2) 사우디 : 이라크의 쿠웨이트 침공으로 이라크에 대한 불신 가중
      이집트, 시리아등에 막대한 재정지원을 통해 이라크 침략
      저지 기도
      - 외국군대 주둔허용, 이라크 부상으로 전통적균형 외교타격
      - 소련과 외교관계 복교 (9.16. 사우디 외상 소련방문)
      - 90년 경비부담 60억불 약속

   3) 모로코 : 서구와 긴밀관계 유지
      - 다국적군에 1,200명 파병

   4) UAE : 쿠웨이트와 더불어 OPEC 쿼터량 초과생산 및 유가하락 부추김에
      대한 이라크의 비난을 받음.
      미국, 영국등 외군주둔 허용, 경비분담 20억불 약속

0120

5) 카타르, 바레인, 오만 : 서방군사 주둔 허용

6) 시리아 : 금번 이라크·쿠웨이트 사태에서 반이라크 노력 가담으로
   국제적 고립으로부터 탈피
   (15,000 파병 ; 탱크 300대 및 지상군 1만명)
   - 아사드 대통령, 사담 후세인과 중동패권을 노리는
     경쟁관계
   - 사우디의 재정지원 필요 및 대소련관계 회복기도

7) 레바논 : 친이라크계 기독교측이 대이라크 봉쇄조치로 인해 타격을
   받고 기독교 민병대장 Aoun 장군의 몰락(10.13. 정부군·
   시리아군의 공격)으로 친시리아 하라위 정부의 입지가 대폭
   강화되어 레바논은 반이라크측으로 기울어짐.

8) 요르단 : 가장 복잡하고 어렵게 연루된 국가
   - 서방에 대한 중재노력이 이라크측의 대변인 역할인
     듯한 인상을 주어 아랍권 및 서구로부터의 비난 점증
   - 내부적으로는 짧은 왕정역사 및 팔레스타인인의 요르단
     이주로 인한 불안가중(전국민의 60% 팔레스타인)
   - 최근 미국의 경제지원등으로 미국측에 기울고 있음.

0121

9) PLO : 반미등 감정적 차원에서 이라크 지원하나 PLO 재정적 지원국인
        사우디, 쿠웨이트 및 여타 산유국과의 관계로 입장정립에
        어려움 직면
        - 페만사태의 팔레스타인 문제와의 연계시도

10) 리비아 :
        - 이라크에 의한 서방 인질화 반대
        - UN 경제제재 또한 반대
        - 사태 평화적 해결안 제의
          · 쿠웨이트 영토 일부 할양후 이라크군 철수
          · 다국적군 철수후 아랍평화군으로 대체
          · 대이라크 경제 봉쇄 해제

11) 알제리, 튀니지, 모리타니 : 미군의 군사개입 반대, 아랍연맹회의
                              불참, 이라크 입장 지지

12) 수 단 : 이라크군 700명 주둔 및 스커드 미사일 배치설

13) 예 멘 : 이라크 입장지지, 쿠웨이트 문제는 아랍역내 문제로
            외세개입 반대

0122

3. 各國의 支援 現況

국 가	경제적 지원	군사적 지원
일 본	40억불 - 다국적군 20억	비전투원 2,000명 파견 검토
서 독	20.8억불 (33억 마르크) - 다국적군 10.1억불 - 전선국가 8억불 - EC 기금 2.6억불	함정 5척 (소해정 4, 보급함 1)
EC	20억불 (분담액 미합의)	
영 국	EC 차원 공동 보조	6,000명 12척, 50대
불 란 서	"	14,000명, 14척, 100대
이 태 리	1.45 억불(1차 산정액), "	함정 5척
벨 기 에	EC 차원 공동 보조	소해정 2척, 보급함 1척
네 덜 란 드	"	프리깃함 2척
스 페 인	"	함정 4척
폴 투 갈	"	함정 3척
그 리 스	"	함정 1척

0123

국 가	경제적 지원	군사적 지원
호 주	8백만불 (난민구호)	함정 3척, 의료진 20명
노르웨이	2,100 만불	수송선 수척
카 나 다	6,600 만불	함정 3척, 전투기 중대
G.C.C.국	사 우 디 : 60억불 쿠웨이트 : 40억불 U. A. E : 20억불	이집트 : 19,000명 모로코 : 1,200명 시리아 : 15,000명 GCC5국 : 10,000명
아시아국	대만 : 2-3억불	방글라데시 : 5,000명 파키스탄 : 2,000명 인도네시아 : (파병 용의)

* 미국 : 병력 230,000명, 함정 48척, 항공기 150대

  소련 : 전함 1척, 대잠함 1척을 파견하였으나 다국적군에는 불참

0124

4. 걸프事態 關聯 我國의 基本立場

1) 강대국의 약소국 무력침공 반대

ㅇ 이라크의 무력에 의한 쿠웨이트 침공 및 병합규탄

ㅇ 이라크의 쿠웨이트 영토로부터의 무조건 조속 철수 촉구

2) UN 안보리의 대이라크 제재 결의 존중

ㅇ 한국전쟁시 집단조치 수혜국으로서의 도의적 의무이행

ㅇ 대이라크 경제제재 결의 661 및 쿠웨이트 병합무효선언 결의 662지지

ㅇ 경제제재 동참

ㅇ 경비분담 동참

- 다국적군 군비지원 1억 2천만불

- 전선국가 경제지원 1억불

3) 페만사태의 평화적 방법에 의한 해결 지지

ㅇ 이라크, 쿠웨이트와 공히 우호관계 유지

ㅇ 원유의 자유로운 수급질서회복과 유가안정 중요성 인식

0125

5. 事態展開 主要經過

8. 2.　이라크, 쿠웨이트 침공점령

　　　　유엔 안보리, 이라크 규탄 및 즉각 철수촉구 결의채택(660호)

8. 5.　이라크, 쿠웨이트 임시정부 각료명단 발표

8. 6.　유엔 안보리, 대이라크 경제제재 결의 채택(661호)

8. 8.　부쉬 미대통령, 사우디 파병 특별담화발표

　　　　이라크, 쿠웨이트 합병선언

8. 9.　유엔 안보리, 합병무효 결의채택(662호)

　　　　이라크, 쿠웨이트 주재 외국공관 8.24. 까지 폐쇄요구

8.10.　이라크, 쿠웨이트내 외국인 억류 발표

8.11.　카이로 아랍 긴급 정상회담, 아랍연합군 파병결정

8.14.　미국, 대이라크 해상 봉쇄(선박 검색) 개시

8.15.　이라크, 대이란 평화제의

8.18.　유엔 안보리, 외국인 보호에 관한 결의 채택(664호)

8.25.　유엔 안보리, 대이라크 제한적 군사력 사용허용 결의채택(665호)

8.27.　미국, 워싱턴 주재 이라크 외교관 36명 추방발표

8.28.　이라크, 쿠웨이트를 19번째 주로 선포

0126

8.29.   일본, 다국적군 지원방안 발표(수송수단, 재정지원등)

8.30.   부쉬 미대통령, 다국적군 경비분담 요청 성명발표

8.31-9.1. 케야르 유엔 사무총장, 아지즈 이라크 외무장관과 회담(암만)

9. 5.   베이커 미 국무장관, 걸프지역 안보 협력체제 수립 및 미군

           계속 주둔언급

9. 9.   미·소 정상회담(헬싱키)

9.13.   유엔안보리, 대 이라크 인도적 식량지원허용 결의 채택(665호)

9.13-14.   이라크군, 쿠웨이트 주재 불란서, 카나다, 벨기에, 화란등

           서방공관 침입

9.14.   베이커 미국무장관, 아사드 시리아 대통령과 회담(다바스커스)

           일본, 걸프사태 관련 30억불 추가지원 방안발표 (총 40억불)

9.15.   불란서, 이라크 외교관 40명 추방 및 걸프지역 지상군 4천명

           파병(이라크군의 공관침입에 대한 보복)

9.16.   부쉬 미 대통령 메시지, 이라크 TV 방영

           이라크, Al-Majid 지방행정장관을 쿠웨이트 주지사로 겸임발령

           유엔안보리, 이라크군의 쿠웨이트내 서방공관 침입 규탄 결의

           (667호)

0127

9.17.	EC, 이라크 무관 전원 추방등 대 이라크 제재
	(EC 외무장관 회담, 브뤼셀)
9.23.	아사드 시리아 대통령, 이란 방문
9.24.	유엔 안보리, 대 이라크 경제제재로 인한 피해국 지원관련
	결의 채택(669호)
9.25.	유엔 안보리, 대 이라크 공중봉쇄 결의채택(670호)
9.25.	미테랑 불란서 대통령 4단계 평화안 제시
9.27.	이라크, 쿠웨이트인에 10.31.까지 이라크 시민권 취득명령
10.3.	사담 후세인, 쿠웨이트 방문
10.4.	소련, 프리마코프 고르바쵸프 대통령 특사 요르단, 이라크 파견
10.4.	라마단, 이라크 제1부총리 요르단 방문
10.4.	가이후 일수상 요르단 방문(후세인왕, 라마단 부총리 면담)
10.4.	미테랑 불란서 대통령, 사우디, UAE 방문

0128

Ⅳ. 周邊國 支援計劃

1. 國家別 支援內容

① 支援 內譯

가. 90 年

(單位 : 万弗)

支援內譯 國別	多國籍軍 活動			周邊國 및 國際機構				計	비고
	現金	輸送	軍需物資	EDCF	生必品	쌀	IOM		
美 國	5,000	3,000						8,000	
이집트			700	1,500	800			3,000	
터 키				1,500	500			2,000	
요르단				1,000	500			1,500	
방글라데시						500		500	
시리아			600		400			1,000	
모로코			200					200	
I O M							50	50	
其他(行政費)					50			50	
豫備					200	500		700	
小 計	5,000	3,000	1,500	4,000	2,450	1,000	50	17,000	
計	9,500			7,500				17,000	

나. 91年

(單位 : 万弗)

	多國籍軍 活動	周 邊 國	計
支援 規模	2,500	2,500	5,000

② 支援 對象 國家 및 規模 決定時 考慮事項

o 美側은 我國의 支援 對象國 選定 및 支援 規模 決定에 대해 理解 表示
 - 修交 目的을 위한 對시리아 援助 方針 等

o 調査團 派遣 等 追加經費는 原則的으로 支援費內에서 支出하기 위하여
生必品 支援 部分中 50万弗을 行政 經費로 確保

o 輸送經費는 各國別 支援額에 包含

o 多國籍軍 活動에 대한 寄與度 및 修交 基盤 造成 等 外交的 必要性을
감안, 이집트 및 시리아에 대한 特別 考慮

0130

```
┌─────────── * 國別 派兵 現況 ───────────┐
│                                        │
│   - 이 집 트  :  19,000名               │
│                                        │
│   - 시 리 아  :  15,000名               │
│                                        │
│   - 모 로 코  :  1,200名                │
│                                        │
│   - 방글라데시 :  5,000名               │
│                                        │
│   - 파키스탄  :  2,000名                │
│                                        │
└────────────────────────────────────────┘
```

ㅇ 對이라크 經濟 制裁 措置 參與로 인한 經濟的 被害 狀況을 감안, 周邊 3個 前線國家에 重點 援助

```
┌─────────── * 前線國家 豫想 被害額 ───────────┐
│                                              │
│   '90 年 :  總 41億弗                         │
│            (터키 17, 이집트 11, 요르단 13)    │
│                                              │
│   '91 年 :  總 94億弗                         │
│            (터키 42, 이집트 23, 요르단 29)    │
│                                              │
└───────────────────────────────────────────────┘
```

- 이 집 트 : 軍需物資 700万弗, EDCF 1,500万弗, 생필품 800万弗
            (總 3,000万弗)

- 터   키 : EDCF 1,500万弗, 生必品 500万弗 (總 2,000万弗)

- 요 르 단 : EDCF 1,000万弗, 生必品 500万弗 (總 1,500万弗)

ㅇ 我國에 대한 支援 要請 與否

   - 필 리 핀 : 쿠웨이트 및 이라크內 필리핀 勤勞者(1万名) 本國 緊急

                 撤收를 위한 支援 要請(民間 航空機 無償 提供 要請)

   - 방글라데시 : 現金 援助 또는 自國 勤勞者 送還을 위한 航空機 및 船舶

                 支援, 國際機構에의 難民 撤收 基金 支援 要請

                 (被害額 5億9千2百万弗 主張)

   - 파키스탄 : EDCF 支援 要請

ㅇ 我國과의 旣存의 友好 協力 關係

ㅇ 中東地域 國家의 境遇, 對象國家가 同 地域에서 갖고 있는 影響力 정도

0132

2. 支援 可能 品目 明細書 (1990.12.31.限 支援可能品目)

(1990.10.16. 현재)

(금액 : 천불, CIF 가격기준)

번호	품 목	규격(재질)	수 량	금 액	비 고
1	직 물	P.E.	7,919,000 YDS	7,277	세양(주)외 6개사
2	타 이 어	트럭,버스,승용차	7,000PCS & 6,000PCS	3,000	한국타이어외 1개사
3	복 사 기	FT 46000 외	3,000 SETS	8,827	신도리코
4	팩시밀리	-	10,000 SETS	3,900	삼성전자
5	타 자 기	DBM	2,000 SETS	1,400	경방기계외
6	전 화 기	SS 1800	30,000 SETS	710	삼성전자외
7	COLOR TV	20"	500 SETS	115	삼성전자
8	냉 장 고	SR-271	1,184 SETS	376	삼성전자(주)
9	라 디 오	ARC 191 외	100,000 PCS	5,900	대우전자
10	자 전 거	T-26, 5-SPEED	9,630 SETS	762	(주)삼천리공업
11	세탁비누	300 G	8,000 M/T	4,580	동산유지외 1개사
12	화장비누	110 G	22,800,000 PCS	6,156	동산유지외 2개사
13	설 탕	30 KG	5,000 M/T	2,584	삼양사외 1개사
14	밀 가 루	-	29,000 BAG	337	대한제분
15	종 이	아트지	1,000 M/T	1,210	무림제지
16	식품(통조림)	CAN	1,500,000 PCS	1,098	평원외 1개사

0133

(금액 : 천불, CIF 기저기준)

번호	품 목	규격(재질)	수 량	금 액	비 고
17	담 면	-	47,000 BOX	267	(주)동심외 1개사
18	신발(운동화)	P.U.	500,000 PAIRS	4,410	동진실업외 2개사
19	주방용품	STAINLESS, ALUMINIUM	165,000 PCS	1,600	우진정금속외 3개사
20	화 장 지	102MM X 35MM 2 PLY	5,500,000 ROLLS	1,601	동신제지외 1개사
21	치 솔	-	7,000,000 PCS	1,610	럭키외 1개사
22	치 약	-	1,000 M/T	2,930	럭키외 1개사
23	올티브로션	-	1,300,000 PCS	1,157	태평양화학
24	면 도 기	-	2,600,000 PCS	700	도루코
25	타 이 바	-	2,000,000 PCS	342	파이롯트
26	볼 펜	-	50,000 SETS	730	파이롯트
27	랜 턴	-	750,000 PCS	1,450	삼강산업이외 1개사
28	건 전 지	R20(M)/DM	15,287,600 PCS	1,296	(주)서통, 로켓트전기
29	정 수 기	-	35,250 SETS	1,830	(주)웨이브스외 1개사
30	매 트	-	153,720 PCS	492	(주)두남
31	차 양 막	2MM X 60MM X 160MM X 150MM	156,000 PCS	156	(주)두남
32	내 의	-	27,500 DZ	518	(주)백양

(금액 : 천불, CIF 가격기준)

번호	품 목	규 격 (제 질)	수 량	금 액	비 고
33	양 말	-	27,000 DZ	518	승한물산외 1개사
34	스 타 킹	-	17,000 DZ	58	(주)두성양말
35	타 올	-	2,500,000 PCS	4,000	한미타올외 2개사
36	모 포	MINK	4,000 PCS	168	범아침장
37	의약품(주사제)	마취제, 항생제, 해열진통소염제등	-	2,700	유한양행외
38	의약품(정제)	지혈제, 해독제, 항생제, 해열진통소염제 등	-	3,260	중외제약외
39	구급함(가정용)	-	20,000 SETS	1,142	남신약품외
40	앰불란스	BESTA	200 UNIT	3,000	기아자동차
41	미니버스	BESTA 12인승	200 UNIT	2,800	기아자동차
42	미니버스	COMBI 25인승	300 UNIT	7,110	아시아자동차
43	오토바이	50 CC	1,000 UNIT	550	대림자동차
44	FORK LIFT	1.5 TON 외	90 UNIT	2,205	삼성중공업
45	EXCAVATOR	SE 40W	20 UNIT	1,320	삼성중공업
46	LOADER	SL 10	20 UNIT	2,200	삼성중공업
47	DOZER	SD 15P	20 UNIT	2,200	삼성중공업
48	발 전 기	145 KW 외	20 UNIT	860	대흥기계

(금액 : 천불, CIF 가격기준)

번호	품 목	규격(제질)	수 량	금 액	비 고
49	양 수 기	100 MM 외	5,000 UNIT	5,560	국제종합기계
50	정수장비	MD 1500-1990	20 UNIT	2,500	반도기계
51	경 운 기	10 HP	800 SETS	1,855	대동공업외
52	트 럭	1 TON	200 UNIT	2,000	기아자동차
53	카고트럭	4 X 4.3 TON	200 UNIT	2,946	기아자동차
54	STEEL WIRE외	DIA 1/2" 외	700 TON	548	극동제강
55	야 전 선	-	2,500 MILE	387	국제전선
56	소 화 기	3.3 KG 외	10,000 SETS	340	청계소방외
57	X-RAY 기기	HB 100M	110 SETS	1,134	동아 X-RAY외
58	초음파기기	SONAR ACE-4500	50 SETS	1,414	(주)메디슨
59	마 취 기	MINI 7 외	200 SETS	2,354	로얄상사
60	수술용 모니터	CS 502 H	400 SETS	1,384	유진전자
61	수술실 장비일체	-	50 SETS	675	동롱의료기외
62	기타 의료기기	50 병상	50 SETS	1,050	신진전자외
63	군 복	T/C 65/35	80,000 벌	1,013	신생유니온외 3개사
64	야전장비	T/C 65/35	90,000 PCS	1,272	JP무역외 2개사

(금액 : 천불, CIF 가격기준)

번호	품 목	규격(재질)	수 량	금 액	비 고
65	군용외의류	-	82,000 PCS	2.158	신생유니온외 3개사
66	군화류	-	120,000 족	2.232	대통화학외 2개사
67	헬멧	NYLON REINFORCED PLASTIC	100,000 PCS	2.670	오리엔탈공업
68	텐트류	NYLON OR COTTON	40,350 SETS	1,330	풍국기업외 2개사
69	배낭	NYLON	40,000 PCS	1,511	대정산업외 2개사
70	DUFFLE BAG	NYLON 외	160,000 PCS	1,106	풍국기업외 3개사
71	군용모포	WOOL 외	70,000 장	1,083	신흥모직외 1개사
72	들것	ALUMINIUM	10,000 PCS	549	원일금속
73	방탄복	-	1,500 PCS	104	코오롱상사
74	PONCHO	NYLON TAFFETA	10,000 PCS	124	JP무역
75	야전삽,곡괭이	STEEL	310,000 PCS	1,097	광성공업사외 4개사
76	수통	PLASTIC	50,000 PCS	54	조일합금
77	삽피,수통피	NYLON	330,000 PCS	730	풍국기업외 3개사
78	탄입대	NYLON OR COTTON	100,000 PCS	361	JP무역외 1개사
79	PISTOL BELT	NYLON	260,000 PCS	707	풍국기업외 3개사
80	군용 TOWEL	COTTON	100,000 장	308	동양타올

(금액 : 천불, CIF 가격기준)

번호	품 목	규격(재질)	수 량	금 액	비 고
81	군용양말	WOOL 등	270,000 족	267	신생유니온외 1개사
82	SAND BAG	P.P.	300,000 PCS	105	신생유니온
83	NBC SUIT	-	10,000 SETS	11,000	코오롱상사
	합 계			157,010	

0138

Available Items

(As of Oct. 17, 1990)

SERIAL NO.	HARMONIZED SYSTEM NUMBER	I T E M	SPECIFICATION (MATERIAL)	QUANTITY
1	5407.60	100% POLYESTER WOVEN FABRIC	P. E.	7,919,000 YDS
2	4011.10 4011.20	TYRE	TRUCK, BUS & PASSENGER CAR	7,000 PCS & 60,000 PCS
3	9009.12	ELECTRONIC COPY MACHINE	FT 46000 & OTHERS	3,000 SETS
4	8517.82	FACSIMILE	—	10,000 SETS
5	8469.39	ELECTRONIC TYPEWRITER (FOR ENGLISH)	DMB	2,100 SETS
6	8517.10	TELEPHONE	SS 1800	30,000 SETS
7	8528.10	COLOR TV	20 ″	500 SETS
8	8418.10	REFRIGERATOR	SR-271	1,184 SETS
9	8519.91	RADIO	ARC 191 & OTHERS	100,000 PCS
10	8712.00	BICYCLE	T-26, 5-SPEED	9,630 SETS
11	3401.11	LAUNDRY SOAPS	300 G	8,000 M/T
12	3401.19	TOILET SOAPS	110 G	22,800,000 PCS
13	1701.91	WHITE REFINED SUGAR	30 KG	5,000 M/T
14	1101.00	WHEAT FLOUR	—	29,000 BAG
15	4810.11	PAPER	ART PAPER	1,000 M/T

0139

SERIAL NO.	H. S. NO.	I T E M	SPECIFICATION (MATERIAL)	QUANTITY
16	2009.00	CANNED PRODUCTS	CAN	1,500,000 PCS
17	1902.30	INSTANT NOODLES	—	47,000 BOX
18	6402.00	SHOES	P.U.	500,000 PAIRS
19	7323.93	KITCHENWARE	STAINLESS, ALUMINIUM	165,000 PCS
20	4818.10	TOILET PAPER	102MM X 35MM 2 PLY	5,500,000 ROLLS
21	9603.21	TOOTH BRUSH	—	7,000,000 PCS
22	3306.10	TOOTH PASTE	—	1,000 M/T
23	3304.99	OLIVE LOTION	—	1,300,000 PCS
24	8212.10	RAZOR	—	2,600,000 PCS
25	9613.10	CIGARETTE LIGHTER	—	2,000,000 PCS
26	9608.39	PEN & PENCIL	—	50,000 SETS
27	8513.10	LANTERN	—	750,000 PCS
28	8506.11	DRYCELL BATTERY	R 20(M) / DM	15,287,600 PCS
29	8421.21	MINERAL POT	—	35,250 SETS
30	4601.99	CAMPING MAT	—	153,720 PCS
31	4601.99	SUNSHADE SHEET	2MM X 60M X 160M X 150MM	156,000 PCS
32	6207.11	RUNNING SHIRTS	—	27,500 DZ

(As of Oct. 17, 1990)

SERIAL NO.	H. S. NO.	ITEM	SPECIFICATION (MATERIAL)	QUANTITY
33	6115.93	SOCKS	-	27.000 DZ
34	6115.20	STOCKING	-	17.000 DZ
35	5601.10	TOWEL	-	2.500.000 PCS
36	9404.00	BLANKET	MINK	4.000 PCS
37	3004.10	MEDICINE(INJECTION)	ANESTHETIC. ANTIBIOTIC. ANTIPYRETIC ANALGESIC ANTIPHLOGISTIC ETC.	-
38	3004.10	MEDICINE(TAB)	ANTIDOTE. ANTIBIOTIC. ANTIPYRETIC ANALGESIC ANTIPHLOGISTIC ETC.	-
39	3006.50	MEDICAL HOME KIT	-	20.000 SETS
40	8703.32	AMBULANCE	BESTA	200 UNIT
41	8702.10	MINI BUS	BESTA 12 PERSONS	200 UNIT
42	8702.10	MINI BUS	COMBI 25 PERSONS	300 UNIT
43	8711.10	MOTOR CYCLE	50 CC	1.000 UNIT
44	8427.20	FORK LIFT	1.5 TON & OTHERS	90 UNIT
45	8429.52	EXCAVATOR	SE 40 W	20 UNIT
46	8427.20	LOADER	SL 10	20 UNIT
47	8429.11	DOZER	SD 15P	20 UNIT

SERIAL NO.	H. S. NO.	I T E M	SPECIFICATION (MATERIAL)	QUANTITY
48	8502.11	GENERATOR	145 KW & OTHERS	20 UNIT
49	8413.70	WATER PUMP	100 MM & OTHERS	5,000 UNIT
50	8705.90	WATER PURIFICATION UNIT	MD 1500-1990	20 UNIT
51	8430.29	POWER TILLER	10 HP	800 SETS
52	8704.31	TRUCK	1 TON	200 UNIT
53	8704.31	CARGO TRUCK	4 X 4, 3 TON	200 UNIT
54	7312.10	STEEL WIRE & OTHERS	DIA 1/2" & OTHERS	700 TON
55	7408.19	FIELD TELEPHONE WIRE	—	2,500 MILE
56	3813.00	FIRE EXTINGUISHER	3.3 KG & OTHERS	10,000 SETS
57	9022.11	X-RAY EQUIPMENT	HB 100 M	110 SETS
58	9018.19	ULTRA SOUND SCANNER	SONAR ACE-4500	50 SETS
59	9018.90	ANESTHETIC APPARATUS	MINI 7 & OTHERS	200 SETS
60	9018.90	ECG MONITOR	CS 502 H	400 SETS
61	9019.20	OPERATION EQUIPMENT	—	50 SETS
62	9018.39	GENERAL MEDICAL EQUIPMENT	50 SICK BED	50 SETS
63	6203.12	CAMOUFLAGE UNIFORM FATIGUE UNIFORM	T/C 65/35	80,000 PCS

SERIAL NO.	H. S. NO.	I T E M	SPECIFICATION (MATERIAL)	QUANTITY
64	6204.33	FIELD JACKETS	T/C 65/35	90,000 PCS
65	6201.11 6201.13	MILITARY OUTER GARMENTS	-	82,000 PCS
66	6403.91	COMBAT BOOTS	-	120,000 PAIR
67	6506.10	NRP BALUSTIC HELMET	NYLON REINFORCED PLASTIC	100,000 PCS
68	6306.21 6306.22	TENT	NYLON OR COTTON	40,350 SETS
69	4202.12	FIELD PACK (MEDIUM)	NYLON	40,000 PCS
70	4202.12	DUFFLE BAG	NYLON & OTHERS	160,000 PCS
71	6301.20 6301.40	MILITARY BLANKET	WOOL & OTHERS	70,000 PCS
72	9402.90	LITTER	ALUMINIUM	10,000 PCS
73	6207.92	MILITARY ARMOR BODY	-	1,500 PCS
74	6201.11	PONCHO	NYLON TAFFETA	10,000 PCS
75	8201.10	SHOVEL, MATTOK	STEEL	310,000 PCS
76	3923.29	WATER CANTEEN	PLASTIC	50,000 PCS
77	4202.92	SHOVEL COVER, CANTEEN COVER	NYLON	330,000 PCS
78	4202.12	AMMUNITION POUCH	NYLON OR COTTON	100,000 PCS

SERIAL NO.	H. S. NO.	I T E M	SPECIFICATION (MATERIAL)	QUANTITY
79	6209.30	PISTOL BELT	NYLON	260,000 PCS
80	6302.60	MILITARY TOWEL	COTTON	100,000 PCS
81	6115.91	MILITARY SOCKS	WOOL & OTHERS	270,000 PAIR
82	6305.31	SAND BAG	P. P.	300,000 PCS
83	6211.33	NBC SUIT	-	100,000 SETS

(REF) 1.   ABOVE QUANTITY IS BASED ON ORDER CONFIRMATION UNTIL OCT. 31

2.   IN CASE OF LATE ORDER CONFIRMATION AROUND NOV. 15, QUANTITY WILL BE REDUCED ABOUT 50%

0144

V. 財政支援 供與國 그룹 調整會議

1. 調整會議 概要

가. 目 的
- ○ 中東 前線國家(Front Line States)等 걸프事態 被害國家에 대한 財政支援을 總括 調整

나. 構 成
- ○ 美, 韓, 日, 英, 獨, 佛, 카, 伊太利, EC, 사우디, 쿠웨이트, 카타르 UAE 및 GCC等 14個國家 및 國際機構 參加
- ○ 美 財務次官(Mulford)과 國務部 政務次官(Kimmitt)이 共同議長직 修行
- ○ IMF 및 IBRD는 技術的 助言과 分析等 支援

다. 組織.運營機能
- ○ 全體會議 :
  - − 參加國 財務部 및 外務部 代表로 構成
  - − 受援國에 대한 援助支援 調整運營(政治的 考慮 並行)
  - − 財政支援 需要 增加의 分析.評價
  - − 受援國의 援助 使用 監督

0145

ㅇ 實務會議 :

- 全體會議에서 提起된 詳細事項에 대한 意見交換

- Dallara 財務部 國際擔當 次官補 主宰

- 我國, 駐美大使舘 經濟 參事官 및 財務官 參席

ㅇ 事務局 :

- IMF 와 IBRD를 事務局으로 活用

- 技術的이고 分析的인 支援 局限

2. 第1次 會議 開催(9.26) 結果

ㅇ 美側, "떼"灣 事態 解決 위한 政治的, 軍事的 方案 이외에 前線國家에
  대한 經濟的 支援을 통해 유엔 制裁措置를 보다 實効化 할 수 있는
  經濟的 解決方案의 必要性 強調

ㅇ 主要 協議.決定事項

- 具體的 方案 推進에 있어 融通性 附與(公式的, 常設機構 性格 止揚)

- 前線國家 範圍를 우선 이집트, 터키, 요르단 3國으로 局限

- 支援時期는 短期的으로 90年末까지, 中期的으로 91年까지 區分

* 會議 參席國 代表들은 美國의 一方的인 會議召集 運營 및 主導에 다소의
  不滿을 表示하였으나, 支援對象 供與國 選定, 支援期間等 主要事案에
  있어서는 美國의 提案에 일단 응하기로 함.

0146

3. 第2次 會議(10.12) 結果

  가. 參席現況

   ㅇ 사우디, 쿠웨이트, UAE, 카다트等 Gulf 國家, 프랑스, 벨지움, 獨逸,
     伊太利, 和蘭, 英國等 EC 諸國, 스웨덴, 스위스, 日本, 카나다 및
     我國 代表等 17個國 代表가 參席

   ㅇ 美側, 國務部側 共同議長을 McCormack 經濟次官에서 Robert M. Kimmitt
     政務次官으로 交替
     - 調整委員會 運營 活性化와 前線國家 支援을 통한 對 이라크 制裁
       措置 實效化라는 政治的 目標 達成 強調 意圖

  나. 主要 討議 內容

   ㅇ Dallara 次官補, 2次에 걸쳐 實務 委員會에서 討議된 前線國家 財政
     被害狀況 産出 結果報告
     - IMF.IBRD 代表 被害 狀況 算出 現況 說明

   ㅇ EC 代表, 자신들의 前線國家 被害狀況 算出額인 90億弗과 IMF.IBRD側
     算出額 142億弗과의 相異点과 관련 意見 開陳
     - Mulford 次官은 對이라크 經濟措置 實效化라는 調整委員會의 政治的
       目標가 詳細 算出時 發生되는 技術的 問題를 뛰어 넘어야(Overshadow)
       하며 提示 된 資料는 向後 作業을 위한 基礎 資料가 될 것이라 言及

   ㅇ 各國別 周邊國 支援 內容에 대한 各國 代表의 發言 있었음.

0147

다. 我國代表 發言 要旨

ㅇ 權大使는 폐灣事態 關聯 我國의 周邊國 支援 內容의 대강을 밝힘.
  - 支援 對象國으로 3個 前線國家 이외에 시리아, 방글라데쉬, 파키스탄
    包含 考慮 豫定 言明

ㅇ 今番 我國 政府의 支援 決定은 經濟的이기 보다는 政治的 決斷으로 이루어
  졌으며 이는 韓國戰時 集團 安保 支援에 惠澤을 본 國家로서 이에 報答
  한다는 次元에서 諸般 國內의 어려운 事情에도 불구 最大限의 支援 決定을
  내리게 되었음을 強調

ㅇ 이에 대해 Mulford 次官은 上記 內容이 Brady 長官 訪韓時 盧 大統領께서도
  지적한 事項임을 지적하고 韓國이 UN等의 도움으로 侵略을 成功的으로
  克服하여 今番에는 他國을 도우는 成功的 事例가 되었다고 하고 我國
  政府의 支援에 謝意를 表示

0148

4. 第3次 會議 槪要

  ○ 日　　時 : 1990.11.5.(月)

  ○ 場　　所 : 로마

  ○ 議　　題 : 10.30(火) 開催 第4次 技術委員會에서 確定 豫定

    - 91年度分 支援額 詳細 支出 方案

    - 各國別 支援 內容 詳細

    - 向後 調整會議 運營 問題

    - 前線國家以外의 被害國에 대한 援助 擴大 與否

  ○ 美側은 我國이 美 主導에 異議를 提起하고 있는 EC等 國家들에 대한
    制動國家 役割을 해줄 것을 期待

0149

Ⅶ. 各國別 參考資料

이 집 트

1. 兩國間 懸案事項

가. 對 이집트 修交推進

- 89.1.1. 駐 이집트 外交團 명부에 駐 카이로 總領事館 登載
- 89.5.16. 이집트, 駐日 이집트 大使館을 아국 領事管轄 公館
  으로 지정
- 89.12.4. 이집트 外務長官, 양국간 구체적 經協 展望에 대한
  아측 備忘錄 提供 要請
- 89.12.27. 總領事 명의 備忘錄 修交
  (石油化學, 造船, 人力雇傭, 電子, 觀光, 防産分野등
  예시)
- 90.1.14. 美 國防次官補, 이집트 訪問時 무바라크 大統領에게
  修交問題 擧論
- 90.1.16. 外務長官, 그레그 駐韓 美 大使를 통하여 美側의
  側面 支援 要請
- 90.2.6. 外務長官 親書 發送(2.19. 祕書室長 경유 傳達)
- 90.2.5. 이집트 外務長官, 무바라크 大統領에게 修交 建議書
  상신
- 90.5.13. 무바라크 大統領의 北韓訪問以後 修交推進 당분간
  保留狀態

0150

나. 이집트 行政電算化事業에의 我國 參與

○ 90.7. 이집트 住民廳長 一行 訪韓時, 이집트 政府가
推進中인 住民行政電算化 事業에 合作投資등을 통한 我國
企業의 參與에 原則的 合意

　　- 이집트 情報센타와 한국 DACOM 간 合議書 署名

○ 이집트측은 同事業에 소요되는 資金(총5,000만불)일부에
대한 我側의 支援(EDCF 기금등) 要請 시사

○ 當部 檢討 立場

　　- 이집트와의 關係改善 및 我國電算業體의 中東地域 進出
감안 동건 推進 積極支援하되 구체적인 진척있을시 兩國
修交問題와 連繫토록 檢討中임.

다. 體育館 建立 支援

○ 經 緯

　　- 88.4. El Din 體育長官 訪韓時 要請

　　- 88.8. Hegazy 外務次官 訪韓時 再次 言及

○ 內 容

　　- 1~1.5만명 收用 規模 體育館으로 약 2천만불 소요 豫想

　　- 1991년 이집트 開催 豫定인 아프리칸 게임전 完工 希望

　　- 無償援助 事業으로 要請하였으나, 그후 對外協力基金
에서의 支援 要請

○ 我側立場
- 對外協力基金의 目的上 體育館 건립을 위한 동 基金
  支援은 곤란
- 아프리칸 게임 관련, 餘他分野에서의 協力方案 提案 用意

라. 技術訓鍊所 設立 支援

○ 經　緯
- 88. 6. 강경식 大統領 特使 방애시 Meguid 外相 提起
- 88. 8. Hegazy 外務次官 訪韓時 再次 言及

○ 內　容
- 技術訓鍊所 設立 및 技術支援 전문가 我側 支援
- 건물 및 부지, 이집트 提供

○ 我側立場
- 아국 無償援助 규모에 비추어 어려운 實情임
- 현재 政府次元의 技術協力을 强化하는 한편 民間次元
  技術協力方案 積極 提供

마. 이집트 勞動力 雇傭

○ 이란 · 이라크 戰 終戰後 200만에 이르는 在 이라크 이집트
  근로자 대거 歸國등으로 失業問題가 이집트의 주요한 懸案
  社會問題로 대두됨에 따라 同國 政府는 我國 企業에 의한
  이집트 勞動力 雇用에 깊은 關心 表明

○ 아측은 韓 · 이집트 關係 正常化 推進에의 肯定的 効果등을
  감안, 대우 및 동아건설의 리비아 建設現場에 소요되는
  外國勞動者중 일부를 이집트 인력으로 고용하는 方案을
  該當業體에 檢討 要請하였으나 高賃金 및 統制의 어려움등을
  이유로 否定的인 反應 接受(동 관련 90.1월 대우 實務調査團
  이집트 訪問)

0152

2. 槪 況

가. 槪 觀

國　　名 : 이집트 아랍 共和國(The Arab Republic of Egypt)

面　　積 : 110만Km²(韓半島의 약5배, 住居地域은 약 4%)

人　　口 : 5,200만명('88년 推定)

首　　都 : 카이로 (1000만명)

民　　族 : 아랍족(96%)

言　　語 : 아랍어, 영어, 불어도 使用

宗　　敎 : 이슬람교 (國敎 90%), 基督敎 (10%)

氣　　候 : 아열대성 氣候로 덥고 乾燥함.

政府形態 : 大統領 中心制에 內閣責任制要所 加味

國家元首 : Mohamed Hosni Mubarak 大統領(81.10 就任, 87.10 再選)

軍 事 力(87) : 總 兵力 50萬名

G N P : 333.4억불(87)

화폐단위 : 이집트 파운드화 (E£)

1人當 GNP : 747불('87)

輸出(87/88) : 32.7억불

輸入(87/88) : 91.8억불

對外負債 : 430억불(88년 推定)

主要資源 : 石油 - 日産 84만배럴(87년)

　　　　　　原綿 - 세계 제2위 生産量

0153

나. 國內情勢

○ 집권 10년째를 맞고 있는 무바라크 대통령은 민주화 및 경제 개발을 주요정책 목표로 내세우고 있으나, 1981년 이래 비상 조치법이 계속 발효중에 있는등 실질면에서는 큰 진전이 이루어지지 않고 있음.

○ 경제적인 면에서도 만성적 재정적자, 국제수지 적자, 외채누증, 인구증가, 물가앙등등으로 경제난이 계속 가중되고 있음.

○ 이에따라 일반국가들의 불만고조, 이슬람 원리주의 세력 및 지하과격 좌경세력에 의한 반정부 테러조직의 준동등이 일부 표면화되고 있음.

○ 현 정권은 온건책과 강경책을 적절히 구사, 그간 반정부 세력을 어느정도 잘 통제해왔으나 현재의 페르시아만 사태 등이 이집트 경제에 부담을 가중시키고 있어 이러한 경제적 어려움은 장차 국내정치의 불안요인으로 작용할 가능성이 있음.

다. 對外關係

○ 1979년 캠프데이비드 협정체결이래 아랍권내에서 고립을 면치 못해왔으나 89년의 레바논, 시리아, 리비아등과의 관계정상화 및 무바락 중동평화안 제안등을 통한 팔레스타인 문제에의 적극적 관여등을 통해 이집트는 다시 아랍외교권의 중심으로 부상했음.

0154

o 현 페르시아만 사태에대해 온건아랍국가를 규합, 미국과
  적극 협조하고 있는바 동 사태를 계기로 금후 이집트의
  아랍권 내부에서의 중요성 및 중동의 안정세력으로서의
  역할은 더욱 증대될것임.

라. 韓·이집트 關係

① 대아국 기본태도

o 아국의 급격한 경제발전 및 서울올림픽 개최등으로
  아국의 국제적 지위가 향상됨에 따라 아국과의 실질협력
  관계 증진을 적극적으로 표명하고 있으나 아직 외교관계
  수립은 회피하고 있음.

② 관계년도

o 61.12월   영사관계수립
o 62. 5월   주카이로총영사관 개설

③ 주요인사 교류

A. 방 문

87. 4. 박수길 제1차관보(외무부장관 특사)

87. 8. 의원친선사절단(단장 : 김정남 의원)

86. 6. 강경식 대통령 특사

88.12. 노재원 본부대사 (한·이집트 학술회의 참석)

B. 방 한

87.10. Ghali 외무담당 국무장관

88. 4. El-Din 청년·체육장관

88. 9. Hegazy 외무차관

89. 5. Kamel 내무성 제1차관겸 보안총국장

89.10. El-Zayyat 국회 아랍 및 국제문제 위원장

④ 협정체결 현황

○ 한·이집트 이중과세방지협정

- 83년 가서명(88.10. 이집트측 국내절차 완료 통보)

- 90.2. 아측 수정안 제의

○ 한·이집트 항공협정(88.6 발효)

○ 한·이집트 문화·과학·기술협력협정 서명(89.6 발효)

⑤ 통상 관계

(단위 : 백만불)

	86	87	88	89
수 출	119	112	110	116
수 입	43	61	150	113

○ 주요수출품 : 견직물, 고무제품, 전기제품, 기계류

○ 주요수입품 : 원유, 원면, 알미늄

⑥ 주재기관 및 상사현황

○ KOTRA

○ 주재상사 (13) : 현대, 삼성, 대우, 금성, 효성, 선경, 한국
타이어, 금호, 부산, 한국중공업, 한일합섬,
삼성전자, 금성전자

0156

⑺ 경제사절단 파견
  ○ 88. 8. 이집트 외무차관 방한시 요청
  ○ 89. 6. KOTRA 주최 플랜트 심포지움을 계기로 아국 대표단
            약 20여명 방문(코트라 본부장, 기계공업진흥회장,
            상공부과장등)

마. 北韓과의 關係

① 대북한 기본태도
  ○ 과거 이스라엘과의 중동전쟁시 북한측의 군사원조 제공등으로
    상금 긴밀한 협력관계 유지
  ○ 연이나, 북한의 낙후된 경제수준으로 실질협력관계는 미미한
    실정임.

② 외교관계
  - 58. 7월   주 카이로 북괴 무역대표부 개설
  - 61. 7월   총영사관 설치 합의
  - 63. 8월   외교관계 수립 (대사대리급)
  - 64.12월   대사급 외교관계 승격합의

③ 주요인사교류
  1) 이집트 방문
     89. 2.   양형섭 북한최고인민회의의장
     89. 8.   윤기복 부수상 겸 경제정책위원장(김일성특사)
     89.10.   지기산 북한군 중장
     89.11.   최광 북한군 참모총장 (김일성 친서 휴대)
     90. 4.   이종옥 부주석

0157

2) 북한방문

89. 9.   Hegazy 외무차관

89. 3.   Abu Shneif 육군참모총장

90. 3.   Farouk Moustafa 국방차관

90. 5.   무바라크 대통령

4. 협정체결현황

o '83.4월 체결된 "경제, 과학, 기술 및 문화협조에 관한 협정"
    이외에 11개의 각종 정부간 협정체결

5. 경제협력

o 교역현황

(단위 : 백만불)

년 도	'80	'81	'82	'83	'84
대이집트 수출	2	4	3	16	15
대이집트 수입	19	15	12	16	17

- 선박사정 불편, 국영무역 상사간의 업무경직성등으로
    교역량은 저조

0158

✻ 主要人事 人的事項

1. 大統領

- 姓　　名 :　Mohamed Hosni Mubarak
- 生年月日 :　1928. 5. 4.
- 經　　歷

  1952. 3.　　공군사관학교 졸업

  1952.　　　전투기 조종사

  1957.　　　공군사관학교 강사, 소련사관학교 수학

  1961.　　　소련에서 중폭격기 연습

  1967.　　　참모부장

  1967.　　　공군사관학교장

  1969. 6.　　공군참모부장

  1972-75　　공군참모총장

  1975. 4.　　부통령

  　　　　　이집트 군수품 조달위원회위원장

  1981.10.14. 사다트 대통령 서거(8110.6) 이후 대통령에 취임

  1987.10.14. 6년 임기의 대통령직 재취임

- 其　　他

  - 80. 1　　　부통령시 북한방문

  - 83.4, 90.5　북한방문

0159

2. 首 相

- ○ 姓　　名 ： Dr. Atef Mohamed Naguib Sidky
- ○ 生年月日 ： 1930. 8. 29.
- ○ 學　歷

  1951.　　카이로 대학 졸업 (법학)

  1958.　　파리 대학 경제학 박사

- ○ 經　歷

  1972.　　주불 이집트 대사관 공보관

  　　　　　카이로 대학 정경대 교수

  1981.　　심계원장

  1986.11.　수　상

3. 外 相

- ○ 姓　　名 ： Dr. Ahmed Esmat Abdel Meguid
- ○ 生年月日 ： 1923. 3. 22.
- ○ 學　歷

  1944.　　알렉산드라 대학 졸업 (법학

  1947.　　파리대에서 법률학 전공

  1951.　　파리대 박사 (국제법)

- ○ 經　歷

  1951.　　외무부 입부

  1969.　　외무부 문화국장

  1970.　　주불대사

  1972.　　주유엔대사

  1984.　　외무장관

0160

4. 外務擔當 國務長官 (外務次官)

- 姓　　名 :　Dr. Boutros Boutros Ghali
- 生年月日 :　1922. 11. 14.
- 學　　歷

  | 1945. | 카이로대학 법학사 |
  | 1949. | 파리대 박사 (국제법) |

- 經　　歷

1947-49	파리대학에서 공업, 경제학, 정치학 전공
	국제법 박사학위 획득
1954-74	미국의 콜롬비아, 프린스턴, 펜실베니아 대학과
	인니, 인도, 제네바, 모로코, 케냐, 쿠웨이트,
	소련등의 대학에서 초빙강사로 강의
1949-77	카이로대학 국제법 및 국제정치 교수
1977.10	외무담당 국무장관

0161

```
┌─────────┐
│ 시  리  아 │
└─────────┘
```

1. 兩國間 懸案事項

가. 對 시리아 修交推進

① 주 요르단 대사관을 통한 수교교섭

88.2.6-8   주요르단대사 시리아 출장,
- Jublan 공업장관등 면담
- 아측의 주시리아 통상대표부 설치 희망에
  시측 검토용의 표명

88.3.11-15   주요르단대사 시리아 출장
- Elemady 경제·대외무역장관등 면담
- 시측 경협증진에 관심표명

88.3.24-27   주요르단대사 시리아 출장
- Tlas 부수상겸 국방장관 면담
- 아측의 주시리아 통상대표부 설치 및 통상
  사절단파견 공한 제의에 시측 이해표명

88.12.7   주요르단대사 시리아 출장
- Tlas 부수상겸 국방장관 및 Fares 기자 면담
- 시측 수교조건으로 아국의 경협제공 요청

90.5.21-25.   주요르단참사관(주레바논대사대리)시리아출장
- Tlas 국방장관, Saloum 외무성경제국장 및
  Khussein 외무성경제부국장, Macklouf
  대통령 처남 면담
- 최초로 시리아 외무성 간부와 접촉,
- 동외무성과의 접촉채널 구축에 합의
- 시리아측, 경협문제협의 희망   **0162**

88.9.24	중동아국장, Medallal 시리아 NOC 위원장 접촉
88.10.8	주독대사, 시리아 유력언론인 Fares 기자 면담
88.11.23	중동아국장, 시리아 실업인 Al-Noman(Tlas 국방장관 측근) 면담
89. 3.	아국 경제조사단 파견 추진중 보류
89.12.12.	중동아국장, 시리아 실업인 Jihad Khaddam (시리아 부통령 아들) 면담
90.6.	주예멘대사, 현지 시리아대사대리 접촉, 동인의 요청으로 양국수교에 대한 아국입장 서면전달함 (6.5)

2. 槪 況

가. 槪 觀

국 명	:	시리아 아랍공화국(Syrian Arab Republic)
수 도	:	다마스커스(250만명, 1986)
면 적	:	185,180 Km
인 구	:	1,133 만명(1988)
민 족	:	아랍족(90%), 쿠르드인(3%) 및 아르메니아인(5%)
언 어	:	아랍어, 영어, 불어도 사용
정부형태	:	대통령중심제
국가원수	:	LT-Gen, Hafez Al-Assad 대통령
수 상	:	Mahmoud Zubi (1987)
외 상	:	Farouk Ash-Shara
의 회	:	People's Council (1981.11.10. 총선거 실시)

0163

대외정책 : 범아랍주의, 비동맹주의, 사회주의

군 사 력 : 407,500 명(1988)

G D P : 321.8억불(1987)

화폐단위 : 시리아 파운드화 (S£)

1인당 국민소득 : 2,935 불(1987)

수   출 : 1,300 백만불(1987), 석유, 원면, 직물등

수   입 : 2,200 백만불(1987), 정유, 기계류, 화학제품등

주요자원 : 석유 - 일산 17만 배럴(1985)

나. 國內情勢

o 1970.11. 쿠데타로 권력을 장악한 Assad 대통령은 강력한 군부와
정보기관의 절대적 지지를 확보, 전통적으로 상호 반목이 심한 파벌,
족벌세력에 대처하는 한편, 제한적인 정치적 자유화 노선을 추구함
으로써 반대세력의 대두를 효과적으로 저지, 정국의 안정을 유지하
면서 시리아 독립후 최초로 지능적 장기집권을 이룩

o 그러나 현정권의 폐쇄적 경제체제에 반대하는 전통적 상업적 생리에
젖은 시리아 국민의 불만 및 최근 표면화 되고있는 반정부 소요에
대한 무자비한 유혈탄압으로 반대세력의 불만이 접증하고 있음.

다. 對外關係

o 모든 아랍제국과의 화해 및 단결을 주장하는 범아랍주의 및 비동맹
주의를 기본으로 소련과의 긴밀한 관계를 유지하면서 서방세력에 '
접근하는 실리주의 외교정책을 추구

0164

라. 我國과의 關係

① 대 아국 기본태도

○ 전통적으로 사회주의 강경노선을 추구해온 시리아는 국제무대
에서 일방적으로 북한을 지지해왔으나 최근 한·소 수교등 국제
정세변화 및 아국과의 경제협력에 대한 기대등으로 시리아측의
호의적인 태도변화가 예상됨.

② 외교관계

1962. 3.19. 주 터어키 대사관을 통하여 외교관계 수립 제의

1962. 7. 4. 시리아, 아국과 수교합의

1962 7.12. 최영희 주 터어키 대사를 겸임대사로 아그레망 요청
(시리아, 아국과 이스라엘과의 관계를 이유로 응하지
않음)

③ 주요인사교류

A. 방 문

1950. 8. 다마스커스 박람회 참가 (국제상사, 현대자동차)

1988.2-3 박동순 주 요르단 대사 (3회)

1988.12: 박태진 주 요르단 대사

B. 방 한

1982. 3. Rifai UN 사무차장보

1983.10. Mansouri 아랍연맹 동경사무소장

1985.10. Al-Syonfe 재무장관
(IMF/IBR 총회 참석)

1986. 9. Moudallal 시리아 NOC 위원장(아시안게임 참석)

1987. 3. Nabulsi 유엔 봉사단 행정조정관

1988. 9. Moudallal 시리아 NOC 위원장 (올림픽 參觀)

0165

④ 통상관계

(단위 : 천불)

구분 \ 년도	1986	1987	1988	1989	1990.3
수　출	6,475	6,490	6,498	9,760	4,501
수　입	0	450	131	1,438	0

o 주요품목

- 주요수출품 : 철강제품, 음향기기, 섬유류, 전기기기

- 주요수입품 : 질소비료, 석탄산

마. 北韓과의 關係

① 외교관계

1961. 1.10.　　북한, 시리아 신정부 승인

1966. 7.22.　　대사급 외교관계 수립 합의

1966.10. 8.　　다마스커스에 북한 대사관 개설

1969.10. 8.　　초대 주북한 시리아대사 (유세프·시크라) 신임장

　　　　　　　　제정

② 주요인사교류

1) 시리아 방문

1981. 8.　　다마스커스 박람회 참석

1981. 9.　　부주석 이종옥

1982. 2.　　노동당 사절단 (단장 : 노동신문 주필 김기남)

1990. 3.　　이종옥 부주석

2) 북한방문

1982. 4.　　김일성 생일 경축사절단

　　　　　　(단장 : Al-Sakafa 잡지 주필)

0166

③ 협정체결 현황

　　　　1970. 3.　　　　경제, 기술협력 협정체결

　　　　1976.10.　　　　무역의정서 서명

　　　　1981. 9.　　　　민간항공협정체결

0167

＊ 시리아 主要人事 人的事項

○ 大 統 領 ： Lt-Gen. Hafez Al-Assad

                (겸직 ： 3군 총사령관, Baath 사회당 당수, 민족진보전선총재)

○ 國會議長 ： Abd Al-Qadir Qaddurah

○ 副 統 領 ： Abd Al-Khaddan (정치·외교담당)

                Rifaat Al-Assad (군사·국가안보담당)

                Zuheir Masharkah (내무·당 담당)

○ 首 相 ： Dr Abd Ar-Rauf Al-Kassem

○ 副首相兼 國防長官 ： Mustafa Tlass

○ 副首相(공공서비스분야) ： Mahmoud Qaddour

   副首相(經濟分野) ： Salim Yassin

○ 外 相 ： Farouk Ash-Shara

0168

요 르 단

1. 兩國間 懸案事項

가. 제3차 韓·요르단 共同委

- ○ 설치근거 : 한·요르단 경제 및 기술협력협정(77.12.29 발효)
- ○ 개최실적 :
  - 제1차 : 84.3.28-29(암만)
  - 제2차 : 87.11.26-27(서울)
- ○ 제3차 공동위 추진
  - 요르단측, 89년중 회의개최제의
  - 89.11.30. 아측, 관계부처 협의후 특별한 현안문제가 없어 90년도로 연기하자고 응답
- ○ 조치예정
  - 90년중 공동위 개최관련, 관계부처의 검토의견 대기중인바, 그 결과에 따라 개최여부 및 시기 요르단측과 협의예정

나. 요르단 政府의 債務償還 延期要請

- ○ 88.8.8. Jardaneh 요르단 재무장관, 삼성물산의 'Aqaba Thermal Power Station Fuel Oil Tank Island 공사대금 채무상환 유예요청 (130만불상당)
- ○ 89.10.26. 재무부에 적극 검토요청
- ○ 90.3.8. 한국수출입은행과 삼성물산 협의결과 대사관 통보
  - 삼성이 요르단 전력청과 직접 협상후
  - 계약체결시 상환계획 조정 예정

0169

다. 人事交流

○ Mu'tah 대학총장(사관학교장) 방한초청

  - 90.3.22. 주 요르단 대사 동 총장 방한초청 건의

    · Khleifat 총장 및 Widyan 부총장, 주 요르단 대사 면담시
      아국 사관학교운영 및 체제견학코자 5월중 방한희망

  - 국방부, 예산사정 및 육사학사 일정으로 연내초청 곤란, 91년도
    연기요망

○ 요르단 청년성장관 방한초청

  - 90.5.28. 주 요르단 대사, 주재국 청년성장관 방한희망사실 보고

  - 90.5.30. 체육부에 공문발송, 검토요청(회신대기)

0170

2. 槪 況

가. 槪 觀

- 국   명 : 요르단 하쉬마이트 왕국(The Hashemite Kingdom of Jordan)
- 수   도 : 암만(Amman)
- 면   적 : 89,209 ㎢
- 인   구 : 289 만명(1987년)
- 민   족 : 아랍족
- 언   어 : 아랍어
- 종   교 : 회교 90%(Sunni 파), 기독교 10%
- 기   후 : 반건조성 지중해성 기후
- 화폐단위 : Jordan Dinar
- 정   체 : 입헌군주제
- 정부형태 : 국왕중심제
- 국가원수 : Hussein Ibn Talal 국왕
- 의   회 : 양원제
- 軍 事 力 : 정규군 70,800명, 예비병력 35,000명 (1986년)
- 국민총생산 : 5,465백만불(1986년) (성장률 2.8%)
- 1인당 국민소득 : 1,909불(1987년)
- 주요자원 : 인광석, 피혁
- 무   역
  - 수출 : 865 백만불(1988년)
  - 수입 : 2,723백만불(1988년)
- 외   채 : 82억불(1989년)

0171

나. 國內情勢

○ 후세인 국왕의 35년간의 친정체제 통치하에서 국왕의 강력한 영도력,
   국민의 대국왕신뢰, 국왕에 대한 군부의 충성을 기반으로 비교적
   정치적인 안정을 유지하고 있음.

○ 그러나 국민의 70% 이상을 차지하고 있는 "팔레스타인인" 문제,
   89.11. 하원총선에서 이슬람원리주의자의 대거 정계진출 및 산유국의
   원조격감으로 인한 경제난은 불안요인이 되고있음.

다. 對外關係

○ 기본적으로 전통적인 친서방 중립노선 및 온건아랍국과의 전통적인
   우호관계를 기조로 하여 명분과 실리를 조화시킨 신축성있는 온건
   보수주의의 정책 추구

○ 친 이스라엘 정책을 견지하고있는 미국 견제 및 자국의 실리를 위하여
   소련을 위시한 공산권과도 실질적인 관계증진추구

라. 韓·요르단 關係

① 대 아국 기본입장

○ 1962.7. 외교관계 수립이래 지속적인 우호관계를 유지하여
   왔으며 유엔 및 비동맹회의등 국제무대에서도 양국 입장 지지

○ 아국통일 정책의 합리성을 인식하고, 남북한 통일은 당사간 대화에
   의하여 해결되어야 한다는 입장 및 남·북한 유엔 동시가입 지지

② 외교관계

○ 1962. 7.26.   외교관계수립(대사급)

○ 1975. 3.31.   주요르단 상주대사관 설치

○ 1988. 3.   박태진 대사 신임장 제정

○ 요르단은 주일 요르단대사가 겸임

0172

③ 주요인사교류 (85년 이후)

  1) 방 문

    1987. 4.   허문도 대통령특사

    1987. 4.   한·요 의원 친선사절단 (단장 : 곽정철 위원)

  2) 방 한

    1987. 9.   Masri 외무장관

    1987. 9.   Khatib 동력장관

④ 협정체결현황

  º 1972.11.29.   무역협정(73.3.12. 발효)

  º 1977.10.26.   문화협정(78.1.28. 발효)

  º 1977.10.26.   경제, 기술협력협정(77.12.29.발효)

  º 1978. 5.14.   항공협정(78.7.23. 발효)

⑤ 통상관계

(아국기준, 단위 : 천불)

년도 구분	1985	1986	1987	1988	1989
수 출 액	38,208	39,685	55,402	65,802	57,888
수 입 액	10,366	10,366	10,331	17,319	22,370

* 주요수출품 : 섬유류, 금속제품, 철강제품, 전기기기

* 주요수입품 : 인광석(89년 650만불), 염화가리(89년 1004만불)

마. 北韓과의 關係

① 외교관계

  1974. 6.30   외교관계수립

  1975. 5.25   주 요르단 상주공관 설치

  1978. 3.   주북한 요르단 대사 임명(북경상주)

0173

2   주요인사교류

　　1) 북한방문

　　　　1976.11.　　경제무역 대표단(단장 : Dabbas 상공차관)

　　　　1978. 9.　　Barakat 관광장관(9.9절 참가)

　　　　1979. 5.　　Talhouni 상원의장

　　　　1979.10.　　Majahi 문교장관

　　　　1980. 8.　　국가협의회 대표단(단장 : Tarawneh 국가협의회의장)

　　2) 요르단 방문

　　　　1975. 7.　　부주석 박성철

　　　　1979. 1.　　무역 대표단 (단장 : 대외무역부 부부장 허경)

　　　　1979. 7.　　의회 대표단 (단장 : 최고인민회의 의장 황장엽)

3   협정체결현황

　　1976.11.　　　경제협력진출 및 기술협력에 관한 각서

　　1977.10.26.　문화협정 체결

　　1979. 1.　　　무역협정

　　1980. 2.　　　라디오, TV 협정

0174

※ 요르단 主要人事 人的事項

1. 國 王

- 姓　　名 : Hussein Bin Talal
- 生年月日 : 1935.11.14.
- 學　　歷 : 1951. Harrow School, England

  1952. Royal Military Academy (Sandhurst), England
- 主要經歷 : 1952. 8.11. 국왕으로 선포(당시 17세)

  1953. 5. 2. 국왕으로 즉위
- 其　　他 : 83. 9. 국왕부처 공식방한

2. 首相兼 國防長官

- 姓　　名 : Sharif Zaid Ibn Shaker
- 生年月日 : 1934년생
- 主要經歷 : 1984.　대장 승진

  1987.　원수 승진

  1989.　수상직에 부임
- 其　　他 : 83. 9. 국왕방한시 공식수행원으로 방한

0175

3. 副首相兼 外務長官

- 姓　　名 :　Marwan al Qasem
- 生年月日 :　1938년생
- 學　　歷 :　1962. 미시간 대학교(정치학석사)
- 主要經歷 :　1964-66　　주 뉴욕 총영사

　　　　　　　1966-67　　외무부 의전국장

　　　　　　　1976-80　　조달성 장관

　　　　　　　1979-80　　외무담당 국무장

　　　　　　　1984　　　 왕실 관방장관

　　　　　　　1988　　　 부수상겸 외무장관

4. 外務次官

- 姓　　名 :　Mutasim Ismail Bilbeisi
- 生年月日 :　1933년생
- 主要經歷 :　주 터키 대사

　　　　　　　82.　외무부 정무국장

　　　　　　　83.　주 레바논 대사

　　　　　　　89.　외무차관

0176

1. 兩國間 懸案事項

가. 主要人事 交流

① 터키側 盧泰愚 大統領 訪터 希望

o 터키側은 Evren 大統領의 訪韓(82.12)에 대한 答訪으로 全斗煥 大統領의 87.5月頃 訪터를 提議한 바 있었으나 全大統領 在任 期間中 不實現

o 88.3.2 駐韓 터키大使, Evren 大統領의 盧泰愚 大統領에 대한 訪터 招請意思 傳達(89.11, Evren 大統領의 退任으로 同 大統領 在任期間中 不實現)

② 外務長官 訪터 招請

o 얼마즈 外務長官, 89.1.27 장명하 大使의 離任禮訪時, 口頭로 최호중 外務長官 訪터 招請

③ Tutkun 國會 外交分科委員長 訪韓

o 86.10 봉두완, 國會 外務委員長 名義 Celikbas 外務委員長앞 訪韓 招請狀 發送

o 90.9 Tutkun 新任 外務委員長, 自身앞 訪韓 招請狀 更新 希望

0177

나. 第5次 韓·터 經濟共同委員會 會議 開催 問題

o 國務總理 訪터時 터側, 第5次 共同委 早期開催 促求

- 86.2 第4次 共同委(서울) 開催以來로 터키側은 第5次 會議 開催에 積極的이나, 我側事情으로 延期

o 我側立場

- 91年初 5次 共同委 開催 檢討 (首席代表 : 外務次官)

다. 韓·터 投資保障協定 締結

o 86.11月 Ozal 首相 訪韓時 假署名한 以來 進展 없음.

o 87.3 터키側의 字句修正 要請에 따라 文案 再協議中

- 90.7 터側 提示 最終 修正案에 我側이 同意함으로써 사실상 文案 合意

- 터側 異意 與否 最終 確認後 假署名 豫定

o 向後 主要人士 訪터 혹은 訪韓時 署名 可能시됨

2. 槪 況

가. 槪 觀

o 국   명 : 터키공화국 (Republic of Turkey)

o 수   도 : 앙카라 (인구 : 310만명)

o 인   구 : 약 5,400만명

o 면   적 : 781,000 ㎢ (한반도의 약 3.5배)

o 언   어 : 터키어

o 종   교 : 이슬람(90%), 기독교, 유태교

o 화폐단위 : 터키리라 (TL)

0178

o 국가원수 : Turgut Ozal 대통령

o 정부형태 : 대통령제 가미 내각책임제

   - Yildirim Akbulut 수상, Ali Bozer 외무장관

o 의　　회 : 단원제 (450명, 임기 5년)

o 군 사 력 : 75.5 만명 (육군 52만, 해군 5.5만, 공군 5.5만,

                  치안군 12.5만)

o 국민총생산 : 800억불 (89년 잠정)

o 1인당 국민소득 : 1,450불 (89년 잠정)

o 주요자원 : 석유, 석탄, 갈탄, 크롬등

o 무　　역 : (89)

   - 수 입 : 157.6억불 (원유, 화학제품, 기계류등)

   - 수 출 : 116.3억불 (섬유류, 곡물, 철강등)

o 외　　채 : 410억불 (89)

나. 國內情勢

o 83.12. 출범한 Ozal 수상하 "조국당" 민간정부는 정치, 경제의
개방 추진등으로 87.11월 조기총선에서도 승리하였으나 연 70%에
달하는 물가고, 경제부조리, 부정부패등 경제문제로 지속적 인기
하락 추세

o 상기 결과, EC 가입 추진, 대희랍 관계개선 등으로 Ozal 정부가
이룩한 외교성과 거양에도 불구, 89.3월 실시된 지방자치단체
선거에서 집권조국당은 3위의 득표 정당으로 전락

o 89.11월 Evren 대통령(80.9월 군사혁명으로 정권장악, 7년 단임
임기후 퇴임)의 후임대통령 선출문제를 둘러싼 여·야간 첨예한
대립 양상속에서 집권조국당은 야당의원들의 국회 불참리에
대통령 선출을 강행, Ozal 수상을 후임 대통령으로 선출

0179

다. 對外關係

o NATO 회원국 및 EC 준회원국으로서 친미, 친서방정책 중시,
  자주실리외교 추구

o 대희랍 관계는 싸이프러스 문제와 에게해 분쟁등으로 악화
  상태였으나, 88.1월 스위스 개최 양국 수상간 회담 이래
  대화를 통한 해결 노력중

라. 韓·터어키 關係

① 대아국 기본입장

o 한국전 참전 우방국으로서 국제무대에서 대아국 입장
  적극 지지 및 대아국 경제, 통상협력 증대 희망

② 외교관계

49.8	아국 승인
57.3	외교관계 수립 합의
57.6	주터키 상주대사관 개설
57.10	주한 터키 상주대사관 개설

③ 최근 주요인사 교류

1) 방 문

81.12	노태우 특사 (정부 제2장관)
84.2	채문식 국회의장
85.9	국정자문위원단 (단장 : 유창순 위원)
85.9	국회사절단 (단장 : 정동성 의원)
85.10	김상협 한적총재
88.6	김용식 특사
89.6	김재순 국회의장
90.7	강영훈 국무총리

0180

2) 방 한

82.12	Evren 대통령
84.9	Karaduman 국회의장
85.10	Erdem 부수상
86.6	국회사절단 (단장 : Karal 의원)
86.11	Ozal 수상
90.5	Erdem 국회의장

④ 협정체결 현황

72.5	사증면제협정
74.5	문화협정
77.12	통상진흥 및 경제기술협력 협정
79.10	항공협정
86.3	이중과세방지 협정

⑤ 통상관계(아국기준)

(단위 : 백만불)

년도 구분	87	88	89
수출	72	75	137
수입	8	37	36

* 주요수출품 : 전자제품, 철강제품, 섬유류, 화학제품등
* 주요수입품 : 화공약품, 철강, 엽연초, 밀가루, 채소등

마. 北韓과의 關係

○ 1957년 아국과 단독 수교이후 양국간 전통적 우호관계를 유지하고
있을뿐 아니라 친서방국으로 강력한 반공정책을 고수하고 있는 터키는
상금 대북수교는 불고려 입장임.

0181

＊ 主要人事 人的事項

1. 大統領

　o 姓　　　名 : Turgut Ozal

　o 生年月日 : 1927

　o 出生地 : 중동부 Malatya 시

　o 學　　　歷 : 1950　이스탄불 공학대학 졸업

　　　　　　　　　1952　도미(渡美), 경제학 전공

　o 經　　　歷 :

　　　미국으로부터 귀국후, 주요수력발전소 건설을 위한 설계

　　　및 전국적인 전기공급을 위한 경제개발정책 수립에 참여

　　　1965~67　　　Demirel 수상 특별경제고문

　　　1967~　　　　경제기획청 신설

　　　1967~71　　　경제기획청장

　　　1971~73　　　세계은행고문

　　　1973~75　　　"사반지" 회사고문

　　　1979~80　　　Demirel 수상 경제고문 겸 경제기획청장대리

　　　1980~82　　　경제담당 부수상

　　　1983　　　　　조국당 창당(당수)

　　　1983~89　　　수상

　　　1989.11　　　의회내 간접선거로 대통령으로 선출

0182

2. 首 相

- o 姓　　名 : Yildirim Akbulut
- o 生年月日 : 1935 (54세)
- o 出生地 : 동부 Erzincan
- o 學　　歷 : 이스탄불 대학교 법과대학 졸업
- o 經　　歷 :

　　　　　변호사업 종사

1983	국회의원(조국당) 당선
	국회부의장
1984	내무부 장관
1987	국회의원 재선 (Erzincan)
1987	국회의장
1989.11	수상

3. 外 相

- o 姓　　名 : Ahmet Kurtcebe Alptemocin
- o 生年月日 : 1940 년
- o 出生地 : 이스탄불
- o 學　　歷 : 66 중동공과대학 졸업
- o 經　　歷 :

1966	민간기업체 근무
1983	BURSA 에서 국회의원 당선
1983.12~1984.10	국무장관
1984.10~1987.12	재무장관
1987	국회의원 재선
90.10	외무장관

- o 가족사항 : 기혼, 자녀 1
- o 특기사항 : 영, 독, 이태리어 구사

0183

Ⅶ. 公館現況

1 주 카이로 총영사관

1. 공 관

　　주 소 : 65, El Hisn street, Giza, Cairo

　　전 화 : 3611234-8

2. 관 저 : 45 Street 83, Maadi, Cairo

　　전 화 : 3503339, 3503163

3. 서울과의 시차 : - 7

4. 직원현황

직 위	직 급	성 명
총영사	외무관리관	박 동 순
부총영사	외무부이사관	공 선 섭
영 사	외무서기관	성 락 민
부영사	외무사무관	송 웅 엽
부영사	외신기사	최 용 열

0184

② 주 요르단 대사관

1. 공 관

    주 소 : PO Box 3060, Amman

    전 화 : 660745, 660746

2. 관 저

    주 소 : PO Box 3060, Amman

    전 화 : 660062, 660284

3. 서울과의 시차 : - 6

4. 직원현황

직 위	직 급	성 명
대 사	대사(특2급)	박 태 진
참사관	부이사관	김 균
2등서기관	외무사무관	정 신 구
외신관겸 부영사	외신기사보	김 오 종

0185

③ 주 터키 대사관

1. 공 관

주 소 : Cinnah Caddesi, Alacam Sokak No.9 06690
Cankaya, Ankara

전 화 : 1270074, 1264858, 1262590, 1262589

2. 관 저

주 소 : Sehit Ersan Caddesi, Coban Yildizi Sok
1/11-12 4th Floor 06690

전 화 : 1274891

3. 서울과의 시차 : - 6

4. 직원현황

직 위	직 급	성 명
대 사	외무이사관	김 내 성
참사관	외무부이사관	민 명 규
3등서기관 겸 부영사	외무사무관	이 희 철
외신관겸 부영사	외신기사	엄 주 천

0186

④ 주 이태리 대사관

  1. 공 관

     주 소 : Via Barnaba Oriani, 30, 00197, Rome

     전 화 : 805306, 805292, 878626, 870224

  2. 관 저

     주 소 : Via Barnaba Oriani, 30

             00197, Rome,

     전 화 : 872144

  3. 서울과의 시차 : - 8

  4. 직원현황

직 위	직 급	성 명
대 사	대사(특2급)	김 석 규
공 사	외무이사관	황 부 홍
참사관	외무부이사관	문 병 록
2등서기관	외무사무관	박 강 호
2등서기관	5급상당	김 경 석
외신관	외신기좌	김 종 훈
행정관	외무행정주사	김 이 옥

0187

외교문서 비밀해제: 걸프 사태 43

걸프 사태 주변국 지원 1: 정부조사단

초판인쇄 2024년 03월 15일
초판발행 2024년 03월 15일

지은이 한국학술정보(주)
펴낸이 채종준
펴낸곳 한국학술정보(주)
주 소 경기도 파주시 회동길 230(문발동)
전 화 031-908-3181(대표)
팩 스 031-908-3189
홈페이지 http://ebook.kstudy.com
E-mail 출판사업부 publish@kstudy.com
등 록 제일산-115호(2000. 6. 19)

ISBN 979-11-7217-005-9 94340
      979-11-6983-960-0 94340 (set)